KB082353

들어가는 말

조기 개입을 시작하는 당신에게

이 책은 발달이 느린 영유아기 아이들을 중재하기 시작한 당신을 위한 책입니다. 이 글을 읽는 당신이 발달이 느린 아이의 부모일 수도 있고, 치료사일 수도 있고, 의료진일 수도 있고, 어린이집이나 유치원 교사일 수도 있겠지요. 이 책을 접점으로 만난 우리는 같은 생각을 하고 있습니다. 어떻게 하면 발달이 느린 우리 아이들을, 장애를 가진 우리 아이들을 더 즐겁고 효율적인 방식으로 가르칠 수 있을까 끊임없이 고민하는 사람들이지요.

이 책은 교육이나 통합, 중재에 관한 이론서는 아닙니다. 응용행동분석(ABA, Applied Behavior Analysis)을 기반으로 조기 집중 행동 중재(EIBI, Early Intensive Behavior Intervention)를 실현하는 현장의 치열한 하루하루의 에피소드를 다룹니다. 아이들의 동기와 호기심 수준을 적절하게 유지하면서 아이가 지금까지는 잘 하지 않았던 새로운 행동이나 언어를 할 수 있도록 도와주기 위해 오늘도 등줄기에서 땀이 흐르는 행동 분석 전문가와 한 아이의 성장 이야기입니다.

언젠가는 꼭 발달이 느린 아이가 언어적으로, 사회적으로 성장하는 과정을 그려내고 싶었습니다. 그래서 토리ABA발달교실에서 만나는 아이들의 대표적인 특성들을 반영하여 '민우'라는 아이에게 투영해 보았습니다. 민우는 실재하는 인물은 아니지만 혼자서만 사용하던 언어들이 점차 대화가 되어가는 과정을 우리에게 소개해 줄 거예요.

이 책에서 다루는 ABA 프로그램은 토리ABA발달교실에서 여러 가지 언어 관련 커리큘럼을 반영하여 개발한 LETS 2023년 버전을 다루고 있습니다. 그리고 하나하나의 프로그램들이 모두 토리ABA발달교실에서 진행되고 있는 프로그램들입니다. 민우와 선생님의 이야기 속에 푹 빠지시면 조기 집중 행동 중재 현장이 실제로 어떻게 진행되고 있는지 속속들이 지켜보실 수 있답니다.

발달이 느린 아이들을 양육하거나 교육할 때는 마음이 먼저 앞서기 마련입니다. 불안한 마음이 들기 때문이지요. 그럴 때 큰 숨을 세 번 쉬고 편안한 마음으로 한 장 한 장 책을 넘겨보세요. 당신의 마음, 당신의 상황, 당신의 아이를 이해하고 동행하는 사람들이 여기 모두 함께 있으니까요.

2024년 5월

토리ABA발달교실 전은지 · 이지혜

CONTENT

1장 핑퐁 대화가 어려운 민우와의 만남 6

1-1. 민우를 소개합니다.--6

1-2. 민우와의 첫인사---6

1-3. 민우가 좋아하는 것들-------------------------------------14

1-4. 민우가 할 수 있는 것들---------------------------------16

1-5 민우의 부모님이 원하는 것-------------------------------17

1-6. 민우의 문제행동---18

1-7. 민우의 언어 행동 평가-----------------------------------18

1-8. 민우의 언어 행동 중재 계획-----------------------------22

1-9. 민우는 일반 아동과 어떻게 다를까? ---------------------23

2장 민우의 언어발달을 위한 ABA 프로그램 25

1) 2023년 1월 --27

집에서 함께 하는 ABA 놀이 _ 지시따르기편

2) 2023년 2월--42

집에서 함께 하는 ABA 놀이 _ 핑퐁대화(인트라버벌)편

3) 2023년 3월---55

집에서 함께 하는 ABA 놀이 _ 매칭편

4) 2023년 4월---64

집에서 함께 하는 ABA 놀이 _ 택트, 지시따르기편

5) 2023년 5월---73

집에서 함께 하는 ABA 놀이 _핑퐁대화(인트라버벌)편

6) 2023년 6월---85

집에서 함께 하는 ABA 놀이 _ 매칭, 변별, 지시따르기편

6개월간의 기록을 마무리하며

<*별첨> 2023년 토리 LETS 목록 ----------------------------100

(2024년 현재 토리 LETS는 개정되었음)

1장 핑퐁 대화가 어려운 민우와의 만남

1-1. 민우를 소개합니다!

할 수 있는 것

- 간단한 일상적 지시따르기
  옷입어, 가방 메, 쓰레기 버리고 와
- 1-2단어 발화
  물, 밥, 쉬, 엄마 안아,
  젤리 주세요, 고래밥 주세요
- 글씨 읽기

좋아하는 것

- 캐릭터/장난감
  자동차 캐릭터(폴리, 카봇, 타요)
  퍼즐, 공구놀이, 탈 것 장난감
- 음식
  고래밥, 마이쮸, 젤리, 요구르트
- 활동
  숫자쓰기, 글자쓰기, 시계관련 놀이

김민우

만4세 남아

문제행동

동생 또는 또래의
눈 찌르기

중재 목표

-청각 기억 높이기
-두단어 이상 자연스럽게 말하기
-이야기 주고받기(핑퐁대화)

1-2. 민우와의 첫인사

2023년 1월, 오늘은 민우와 처음 수업을 시작하는 날이에요. 민우는 어떤 아이일까? 기대 반 긴장 반으로 문 앞에 서서 민우를 기다립니다. 수업시간이 다가오자 엄마와 함께 센터문을 열고 민우가 들어왔어요. 민우는 또래보다 키가 작고 왜소한 편이었고 초롱초롱한 눈동자를 가진 귀여운 만 4세 남자아이였어요. 민우를 향해 손 흔들며 반갑게 인사하니 민우는 교사를 아주 잠시 응시하는가 싶더니 이내 교사 옆 어딘가로 눈을 돌리며 신발을 벗으려고 하네요. 그때, 민우의 엄마가 민우의 상체를 잡으며 '인사해' 하고 말씀하셨어요. 민우는 잠시 뒤 '안녕' 하고 작은 목소리로 말해요. '그렇지 잘했어, 이제 신발 벗어 민우야!' 엄마가 이야기하자 민우는 신발을 벗으며 주위를 두리번거리더니 교실 쪽으로 몸을 돌려요. 신발을 벗자마자 바로 교실로 들어가려고 하는 민우. 알록달록 다양한 장난감이 준비된 새로운 교실이 궁금한가 봅니다.

교실로 들어가려는 민우의 몸을 선생님이 잡아 세우며 이야기해요. '민우야, 가방이랑 옷 벗어! (민우의 얼굴이 붙여져있는 서랍장 자리를 손가락으로 가리키며) 여기에 정리해! 여기가 민우자리야' 이때, 민우가 잘 알아들을 수 있도록 짧은 문장으로 간결하게 이야기합니다. 민우는 서랍장에 붙어있는 자신의 이름을 보더니 한 글자씩 손가락으로 가리키며 '기.미.누' 작은 소리로 읽어요. '우와~ 우리 민우 글씨도 읽을 줄 아는구나?!'

민우는 선생님의 도움을 받아 서랍장에 가방과 옷을 넣었어요. '자, 엄마랑 인사할까? 엄마, 안녕!' 이미 민우의 시선은 교실을 향해 있어요. 민우의 고개를 돌려 시선이 엄마를 향하게 한 후 다시 인사를 할 수 있게 도왔어요. '안.넝'

'선생님께 인사하고 > 신발을 벗고 > 가방과 옷을 벗어서 > 서랍장에 정리한 후 > 엄마한테 인사하고 > 교실에 들어가기' 방금 민우가 했던 일련의 행동들이 앞으로 민우가 센터에 와서 가장 처음 늘 하게 될 패턴이랍니다.

토리에 오면 가장 먼저 해야하는 5가지

1 선생님에게 인사하기

2 신발/겉옷 벗기

3 가방 벗기

4 가방/겉옷 정리

5 엄마에게 인사하기

위의 행동들도 하나하나 민우가 자발적으로 했는지, 도움을 받아서 했는지, 도움을 받았다면 어느 정도의 도움(ex. 신체, 언어, 제스처)이었는지 모두 데이터로 기록합니다.

ABA에서는 행동들을 작은 단위로 쪼개 연습시킵니다. 정상 발달 아동이나 성인들에게는 그냥 '센터에 들어오기'와 같이 매우 간단할 수 있는 행동이 발달 지연 또는 자폐성 장애가 있는 아이들에게는 매우 복잡한 일일 수 있거든요.

앞으로 민우는 주 2회(화/목), 오후 조기교실에서 3명의 친구들과 함께 ABA 수업을 듣게 될 예정입니다. 민우가 속해 있는 오후 조기교실은 4명의 남아(만 4-5세)로 구성되어 있고, 모두 오전에 어린이집 또는 유치원에 갔다 오는 친구들이에요. 그리고 친구들 모두 2단어 이상의 발화가 가능하지요. 민우와 친구들은 오후 조기교실에서 사회(어린이집, 유치원, 학교)에 적응하기에 꼭 필요한 언어 및 자조기술, 사회성 기술 등을 증진시키는 ABA 프로그램을 경험하게 될 예정입니다. 조기교실 프로그램은 개별수업(1시간 30분)+그룹수업(1시간)으로 구성되어 2시간 30분 동안 진행됩니다.

 토리 aba 발달교실 오후 조기교실 시간표

시간	프로그램	내용
15:00-15:10	인사 및 율동	친구와 인사/스킨십, 선생님 따라 율동하기
15:10-16:30	개별수업	1교시 (개별 프로그램 15분 + 쉬는시간 5분) 2교시 (개별 프로그램 15분 + 쉬는시간 5분) 3교시 (개별 프로그램 15분 + 쉬는시간 5분) 4교시 (개별 프로그램 15분 + 쉬는시간 5분)
16:30-16:50	간식시간	화장실 다녀오기, 간식 먹기
16:50-17:00	운동	
17:00-17:10	미술	
17:10-17:20	책읽기	
17:20-17:30	인사 및 율동	친구와 인사/스킨십, 율동 및 노래 이어부르기

토리 ABA 조기교실에서는 개별수업 시작 전 친구들과 함께 앉아 인사하고 율동을 하고 간단한 스킨십을 하며 또래와 상호작용할 수 기회를 짧게 제공하고 있어요. 개별수업이 끝나고 나서도 '그룹활동' 이라는 프로그램 아래 친구들과 함께 운동, 미술, 책읽기 활동을 진행합니다. 또래에게 관심이 없는 아이들에

게 의도적으로 또래와 접촉하고, 같은 활동을 공유하며 내 차례를 기다려 보고, 친구들의 행동을 관찰할 수 있도록 기회를 제공해주는 거예요. 이와 같은 과정 중에도 아이들 각각의 수많은 촉구와 강화가 주어지고, 민우와 친구들은 개별적인 목표 행동을 습득할 수 있게 됩니다.

<조기교실 시각화 스케쥴표 사용 예시>

수업 전, 그림을 가리키며 어떤 시간인지 소개하고
해당 시간이 종료되면 '끝!' 소리와 함께 노란바탕으로
그림을 하나씩 옮겨 붙여요. 스케쥴표는 시각적으로
일과를 예측하고 쉽게 이해할 수 있도록 도울 수 있어요.

드디어 오후 조기교실 친구들 4명이 모두 모였어요. 4명 친구 모두가 각자 좋아하는 장난감을 가지고 매트에 앉아 놀이하고 있어요. 멀리서 보면 함께 모여 놀이하는 것처럼 보이지만, 조금만 지켜보면 민우와 친구들은 서로에게 관심 없이 그냥 옆에 앉아 각자의 장난감을 가지고 놀이하고 있다는 것을 금방 알 수 있습니다. 서로를 바라보거나, 서로에게 관심 두는 일이 드물지요. 가끔 친구가 가지고 노는 장난감에 관심이 생기면, 가까이 다가와 그 장난감을 가져가려고 할 뿐이에요.

'자, 우리 이제 열세고 자리에 앉을 거예요.'

선생님의 말씀에 민우는 바로 몸을 일으켜 책을 책꽂이에 정리해요. 대부분의 아이들이 센터의 환경에 익숙지 않기 때문에 선생님의 지시에 순응하기 어려워하거나 장난감 정리를 거부하는 모습을 보이는 것과 달리, 민우는 초반부터 선생님의 지시를 잘 듣고 이에 굉장히 잘 순응하는 편이었어요. 민우가 의자를 향해 다가오자 선생님은 '민우 자리는 어디일까?'하고 물으며 의자를 가리켜요.

민우는 선생님의 손가락을 따라 시선을 옮기며 자신의 얼굴 사진과 이름이 붙은 의자를 찾아 앉았어요. 의자에 앉으면, 민우의 개별수업을 담당하는 선생님께서 민우 뒤에 가까이 앉아 민우가 그룹활동을 잘 수행할 수 있도록 그림자처럼 도움을 줍니다. 다른 곳을 보면 고개를 돌려 선생님을 볼 수 있게 하고, 자리를 이탈하려고 하면 어깨를 지그시 눌러 의자에 앉게 하지요. 고개를 돌려 선생님을 보거나 의자에 앉으면 즉시 칭찬을 해요.

ABA에서는 이처럼 도움을 주는 것을 **'촉구'**라고 하고, 칭찬하는 것을 **'강화'**라고 합니다. 민우는 의자에 앉아 선생님의 지시에 따라 인사하고 율동을 제법 잘 따라했어요. 담당 선생님은 민우가 잘 앉아있는 것, 율동을 따라하는 것에 대해 중간중간 계속 칭찬해주거나 좋아하는 간식을 제공하여 강화해주어요.

1-3. 민우가 좋아하는 것들

본격적인 조기교실 수업이 시작되기 전에는 부모님과의 사전 면담을 통해 아이의 현재 언어발달 수준을 파악하고, 현재 아이가 선호하는 강화물 목록을 작성하는 일도 매우 중요합니다. 강화물 목록은 부모님과의 상담, 그리고 부모님께서 작성해주신 관찰 기록지를 통해 정보를 수집하고 작성되지요. 이를 통해 목록에 작성된 선호물은 과제 수행 시 강화제로 사용되며, 이는 목표 행동을 성공적으로 중재하는 데 큰 도움이 됩니다.

선호물은 민우의 동기를 유발하여 과제를 수행하게 합니다. 이를 통한 동기의 수준을 적절하게 유지하기 위해서는 앞으로 과제 후 민우가 제공받게 될 강화물에 대해 제한할 필요가 있어요. 즉 평소에 쉽게 얻을 수 없도록 조절해야 하는 것이죠. 예를 들어 목이 마른 사람이 물을 쉽게 얻을 수 있다면 물을 얻기 위한 노력을 굳이 하지 않아도 되지만, 물을 먹기가 어려운 상황에 처한다면 물을 먹기 위해 온갖 노력을 하게 됩니다. 다시 말해 '물'의 가치가 높아지게 되고 '물'을 먹기 위한 동기가 강하게 생기겠지요. 이에 관한 설명을 사전면담 시 어머님께 잘 전달하여 가정에서도 앞으로 센터에서 사용하게 될 보상들에 대한 조절에 협조를 부탁드립니다.

아래는 평소 민우가 좋아하는 것들이에요.

민우의 '선호물' 목록

캐릭터	활동	장난감	음식
폴리, 카봇, 타요 등 자동차 관련 캐릭터	글자 읽고 쓰기	퍼즐	젤리
한글용사 아이야	숫자 세기	탈 것 장난감 (기차, 자동차, 비행기, 주차타워)	마이쮸
	시계 관련 활동	공구놀이	고래밥
		쥬스만들기, 자판기 놀이	요구르트

위의 선호물은 앞으로 과제 수행 시 강화제로 제공하며 보상으로 사용될 수 있습니다. 하지만 모든 선호물이 강화제가 되지는 않습니다. 과제를 할 만큼의 동기를 높이는 강력한 선호물이 강화제로서의 역할을 할 수 있지요.

1-4. 민우가 할 수 있는 것들

민우는 가정에서 일상적인 지시따르기가 대부분 가능하다고 해요. 민우의 수용언어 수준이 어느 정도인지는 직접 관찰을 통해 더 정확히 확인해봐야겠지만, 어머님의 말씀을 통해 민우는 어느 정도 상대방의 언어를 듣고 이해하는 능력을 갖추고 있음을 예측할 수 있어요. 또한, 민우는 자신이 몇 가지 원하는 것을 언어로 요구할 수 있다고 하셨는데, 어머님이 말씀해주신 단어 및 문장은 다음과 같습니다.

 # 지시따르기가 가능한 것

옷 입어, 양말 벗어, 가방 메,
리모컨 가져와, 내려와, 이름 써,
화장실에 가서 쉬하고 와,
인사해, 자리에 앉아

 # 언어로 요구할 수 있는 것

물, 밥, 쉬, 이거, 엄마 안아, 어부바,
젤리 주세요, 고래밥 먹을래

1-5 민우의 부모님이 원하는 것

민우는 한, 두 단어를 조합하여 자신이 원하는 바를 간단한 수준의 언어로 표현할 수 있지만, 두 음절 이상의 단어로 이야기할 때 끊어 말해 자연스럽지 못하고 상대방의 질문에 대답하거나 대화를 주고받는 것이 어려워요. 이런 말씀을 하시며 어머님께서는 민우와 대화를 주고받는 것을 상상하는 일은 너무 꿈같은 일이라고 표현하셨어요. 또한, 이전에 배웠던 표현들을 잘 외우는 편이나 그 상황에 적절하게 사용하기보다는 맥락에 맞지 않는 상황에서 사용하는 경우가 많다고 하시며 앞으로 민우가 겪게 될 사회적인 상황에서 적당한 말을 할 수 있게 되기를 바라셨어요. 마지막으로 민우는 성인이 지시하는 간단한 심부름은 잘하지만, 두 가지 이상의 지시를 하면 금방 잊고 한가지 지시만 따르거나, 아예 지시를 따르지 않는 부분에 대해서도 염려를 표현하셨습니다. 민우의 부모님께서 ABA 프로그램을 통해 민우가 습득하기를 바라는 점을 크게 다음과 같이 정리해볼 수 있을 것 같아요.

1. 청각 기억력 높이기
2. 두 단어 이상 자연스럽게 말하기
3. 상대방과 이야기 주고받기/ 대화하기 (핑퐁대화)

1-6. 민우의 문제행동

현재 민우가 가정과 어린이집에서 보이는 문제행동은 다음과 같습니다.

- 동생이나 또래의 눈 찌르기
- 또래가 가지고 노는 장난감 무너뜨리기
- 또래가 가지고 노는 장난감 그냥 가지고(빼앗아) 가기

위의 행동들은 앞으로의 중재 목록에 포함되며 센터에서도 함께 관찰되어 중재를 받게 될 예정입니다.

1-7. 민우의 언어 행동 평가

앞으로의 중재 계획을 위해 초반 1~2주에는 민우와 자연스러운 상황에서 놀이하며 (이때 수준을 확인할 수 있는 간단한 과제들도 하나씩 제시합니다.) 토리 **LETS(Language Education & Training Program for Special Children)** 목록을 통해 언어 행동 수준을 체크해볼 계획입니다. 이는 어머님이 말씀해주신 내용과 함께 종합하여 민우의 전반적인 수준을 확인할 수 있는 자료가 됩니다.

ABA중재 시작 전, 2주 동안 확인된 민우의 전반적인 발달 수준을 토리 LETS 목록에 따라 10개의 영역으로 나누어 정리해보았습니다.

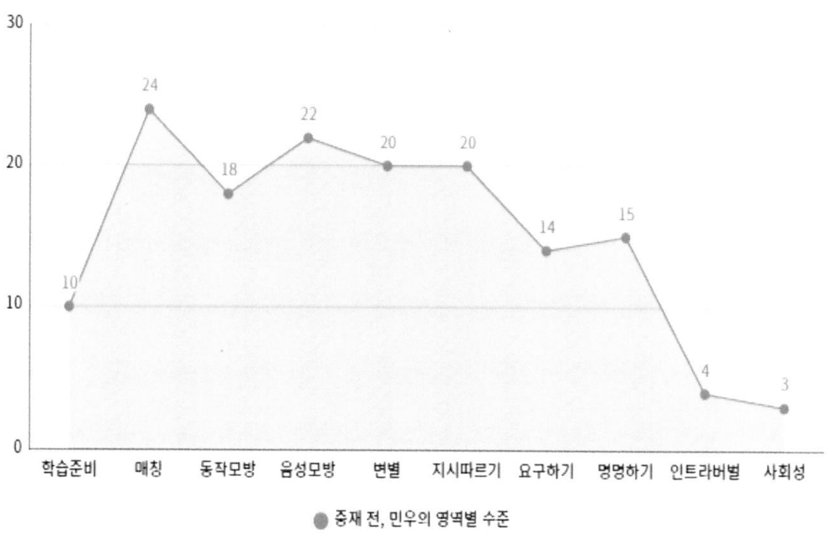

영역이름	현재 가능한 수준/ 영역별 총 수준	전반적인 내용
1.학습준비	10/10	선생님의 지시에 순응하는 편이며, 오래 앉아있는 것을 어려워하지 않기 때문에 활동이나 과제도 잘 해내는 편
2. 매칭	24/30	일반화된 사물과 사진의 매칭이 가능. 블록 디자인을 보고 모방하여 만들기도 가능. 퍼즐과 관련된 활동을 좋아해서 단순한 퍼즐부터 어려운 조각 퍼즐까지 어려움 없이 잘 해냄.
3. 동작모방	18/20	대근육, 소근육을 활용한 대부분의 동작 모방을 수행. 영상 속 동작, 얼굴 표정, 선생님이 하는 율동 모두 모방 가능. 사물 없는 2단계 동작 모방까지 가능. 사물 없는 3단계 동작모방부터 연습 필요.
4. 언어모방	22/30	한 단어 따라 말하기 가능. 두 단어 이상의 따라 말하기는 어려워하고 음절마다 부자연스럽게 끊어 말하는 모습.
5. 변별	20/30	아이템의 이름이나 동물소리, 환경음을 통한 변별이 가능. 사물에 대한 특징, 색깔, 범주에 관련된 변별 잘 수행. 성별 및 형용사와 같은 변별 연습 필요.
6. 지시따르기	20/30	선생님의 간단한 지시를 듣고 잘 수행하는 편. 놀이영역에서 물건 가져오기, 열 세어 자리에 앉기, 신체 부위의 이름을 듣고 터치하기 수준의

		지시따르기 가능. 좀 더 복잡한 과제는 연습 필요.
7. 요구하기	14/30	원하는 장난감이나 행동을 요구할 수 있으나 아직 소극적인 편. 배변의 욕구가 있는 경우 화장실에 가고 싶다는 요구를 하지 못해 놀이영역에서 실수를 하였음. 다양한 상황에서 자발적으로 요구해볼 수 있도록 연습 필요.
8. 명명하기	15/30	단어 50개 정도 명명 가능. 책을 보며 '이거 누구야?' 라는 질문에 대답할 수 있음. 아직 자연스럽게 2단어 이상을 연결하여 발음하는 것이 어려움.
9. 인트라버벌	4/30	사진을 보며 '물을?' 하고 물으면 '마셔' 하고 대답할 수 있음. '작은별' 노래를 한단어 이어부르기 가능. 그러나 '~뭐해?' 와 같이 무엇이 포함된 질문에 대답하는 것이 어려움.
10. 사회성	3/30	선생님의 지시에 따라 또래에게 스킨십을 할 수 있으나 또래를 쳐다보거나 상호작용을 시도하는 모습이 전혀 관찰되지 않음. 또래와의 상호작용에 대한 중재가 필요함.

1-8. 민우의 언어 행동 중재 계획

위처럼 초기 1-2주 동안 관찰된 데이터를 바탕으로 중재 계획을 잡아보기로 했어요. 중재 계획은 6개월 단위로 세워져 중재가 진행되며 중간평가를 통해 계획을 수정하거나 추가할 수 있습니다.

민우는 가장 수행수준이 낮게 평가된(현재 민우가 또래에 비해 가장 격차가 벌어져 있는) 지시따르기, 요구하기, 명명하기, 인트라버벌(핑퐁대화), 사회성 영역 위주로, 6개월 동안 각 영역에서 5개의 장기목표를 달성하는 것을 목표로 중재를 받게 될 예정입니다.

민우의 언어 행동 중재 계획/ 장기목표(1~6월까지)

지시따르기	20번 → 25번
요구하기	14번 → 19번
명명하기	15번 → 20번
인트라버벌	5번 → 10번
사회성	4번 → 9번

*자세한 장기목표 세부 내용은 토리 LETS 목록 참고

ABA에서 대부분의 행동은 기록되어 데이터로 저장하는데요, 이 기록이 매우 중요합니다. 아이의 행동을 데이터화 함으로써 이 데이터를 통해 중재가 잘 되고 있는지 확인할 수 있고, 다음 중재 계획을 잡는 데에도 꼭 필요하거든요. 추후 작성된 민우의 중재 과정에서 데이터 확인을 통해 과제를 중단하고 변경하거나 지속해나가는 내용을 확인해보실 수 있습니다.

1-9. 민우는 일반아동과 어떻게 다를까?

2018년생인 민우는 같은 해에 태어난 만 4세 친구들과 비교했을 때 어느 정도 발달 수준을 보이고 있을까요? 일반적인 발달 수준표와 비교해보고, 어느 영역의 발달이 친구들에 비해 차이가 나는지, 이들과의 발달 격차를 줄이기 위해서는 어떤 영역에 어느 정도의 중재가 필요할지 다시 한번 확인해보도록 할게요.

민우(자폐성 장애)	정상발달 아동
– 인지: 관심있는 분야(ex. 숫자, 시간)에 한정적으로 질문, 기억함. 그림책을 짧게 읽어주고 내용에 대해 질문하면, 잘 기억하지 못함.	-인지: 기억력이 증가하고 사고의 폭이 넓어짐. 대상이나 사건에 대해 세밀하게 설명할 수 있음. 질문을 많이 함.

- 정서, 사회성: 또래에게 관심이 없음. 눈 마주치지 않음. 또래와 함께 장난감 공유하여 놀이하기 거부함.	-정서, 사회성: 또래와 놀이하는 것을 좋아하고, 놀이하는 친구들이 자주 바뀜. 성역할에 대한 개념이 발달. 목적이 담긴 대화를 나눌 수 있음.
-언어: 무엇, 언제, 왜와 같은 의문사를 포함한 질문에 대답하지 못함. 2개의 단어를 사용하여 간단한 요구를 할 수 있음.	-언어: 3~7개의 단어를 사용하여 완전한 문장을 만들 수 있음. 글자가 없는 그림책을 이해하고 이야기를 꾸밀 수 있음. 자신의 의견을 정확하게 말로 표현할 수 있음.
- 신체: 소근육 힘이 부족하여 쓰기도구를 잡고 끼적일 때 필압이 약함. 소근육을 활용한 자조기술에 대부분 도움이 필요함. .	-신체: 손의 조작 능력이 발달하여 신발 끈 매기, 단추 채우기, 팬티 올리기, 지퍼 올리기 등이 가능. 쓰기도구를 제대로 쥐고 상상하는 것을 그릴 수 있음.

* 위의 표는 민우와 같은 시기의 정상발달범주 아동이 의미 있게 차이나는 발달 영역 위주로 정리한 내용이며, 정상발달 아동 중에서도 발달 속도에는 개인차가 있을 수 있습니다.

2장 민우의 언어발달을 위한 ABA 프로그램

친구들과 함께 인사를 하고 율동 하는 시간이 끝나면, 민우는 담당 선생님과 함께 민우의 책상으로 이동하여 개별수업을 시작합니다. 앞의 시간표를 통해 소개해 드린대로, 개별수업은 15분 수업+ 5분 쉬는 시간으로 총 4번(80분) 진행되어요. 앞으로 매달 어떤 프로그램을 중점적으로 진행했는지 나누어 이달의 주요과제들을 통해 민우의 중재 과정을 소개해드리려고 합니다.

<<영역별 주요 목표 정리 (1~6월)>>

: 아래 작성된 과제뿐 아니라 매칭, 모방(언어/동작)에서도 중재가 함께 이루어집니다.

	1월	2월	3월	4월	5월	6월
변별하기		23)성별로 사람변별		24)같다, 다르다 변별	25) 책에서 기능, 특징, 범주 중 2가지 포함 질문을 듣고 변별	26) 4쌍의 형용사를 변별

지시따르기	21)사물을 제자리에 갖다놓음	22)사물을 특정한 장소에 갖다놓음	23)다른 장소에 가서 특정한 아이템을 가져옴			24)위치가 포함된 지시를 따름
요구하기	18) 행동맨드 '비켜줘'	18) 행동맨드 '내려줘'	18) 행동맨드 '꺼내줘'	18) 행동맨드 '눌러줘'	18) 행동맨드 '빌려줘'	18) 행동맨드 '보여줘'
명명하기	16)동작 택트		18)2단어 택트	19)소유에 대해 말함	21)사물을 보며 색깔, 모양, 기능을 묻는 질문에 대답	22)같다, 다르다 택트
인트라버벌	5) 맥락없이 동작 이어말하기	6) 이름을 묻는 질문에 대답	7) 2단어 이상으로 노래 이어부르기	8) 동작 이어말하기	9) 범주를 듣고 2가지 이상의 아이템 대답하기	10) 무엇이 포함된 질문에 대답
사회성				6)또래와 눈맞춤	9)또래의 동작을 모방	8)또래와 평행놀이

1) 2023년 1월,

기존에 언어치료와 타 aba 치료실에서 1년 정도 수업을 받은 경험이 있어서인지 초반부터 민우는 15분 착석하는 것에 큰 어려움을 보이지 않고 선생님이 제시한 과제를 잘 수행하는 모습이었어요. ABC유관에 대해서도 잘 이해를 하고 있었습니다. 그리고 새로운 과제도 처음 몇 번 제시하면 금방 파악하고 수행하는 모습을 보였습니다. 민우는 주로 강화제로 마이쭈나 글씨쓰기, 숫자쓰기 활동을 선택했어요. 원하지 않는 강화제를 제시하면(ex. 민우야, 우리 공부하고 책읽을까?) 하면 '아니!' 하고 작은 소리로 대답했지요.

민우는 선생님의 지시에 대부분 순응하는 편이었고, 쉬는 시간에는 매트에 앉아 양반다리를 하고 가만히 책을 보거나 퍼즐을 맞추는 모습을 보였어요. 선생님들은 민우의 모습을 보고 '선비 같다'고 표현하기도 했어요. 새로운 놀이를 하려고 장난감을 꺼내다가도 쉬는 시간이 끝나 '열세고 자리로 돌아올게요' 하면 바로 정리를 하고 자리로 돌아와 앉는 모습이 참으로 기특했답니다.

1. 지시 따르기- (21) 사물을 제자리에 갖다 놓음

지시 따르기 과제란, 상대방이 아동에게 지시를 내리고 그 지시를 따르도록 유도하는 것을 말해요. 이 과제는 아이가 상대방의 이야기를 듣고, 행동을 조절하는 데 도움을 줄 수 있어요. 선생님은 아이에게 지시하고, 아이가 그에 대해 행동을 할 때 즉각적으로 강화 또는 수정을 제공해야 합니다. 이번 달 민우는 지시 따르기 영역 중 21번 목표인 '사물을 제자리에 갖다 놓음' 과제를 수행할 계획이에요. 선생님은 미리 준비해 둔 사물을 건네며 '제자리에 갖다놔' 하고 말하면, 민우는 '제자리에 갖다놔' 라는 지시를 듣고 행동해야 하는 과제입니다.

미리 준비된 사물 목록은 <칫솔, 비누, 장난감 2가지, 숟가락, 컵, 책 민우가방, 신발> 이에요. 먼저 제자리에 갖다 놓기 위해서는 물건의 제자리가 어디인지 알아야겠지요? 과제 시작 전 아이가 각 사물이 어디에서 사용되는지, 제자리가 어디인지 알고 있는지를 확인할 필요가 있습니다.

첫 번째 시도에서는 지시에 대해 민우가 아무런 반응을 하지 않았어요. 선생님의 이야기를 듣지 않았거나, 들었지만 새로운 지시에 대해 이해를 못 한 것일 수도 있지요. 위의 대화에서는 이러한 오반응에 대해 즉각적으로 수정이 이루어지는 것을 볼 수 있어요. 수정 후에는 칭찬이나 좋아하는 간식제공과 같은 강화가 주어지지 않아요. 두 번째 시도에서는 민우가 선생님의 지시를 듣고 움직이다가 중간에 다른 것에 주의를 빼앗겨 지시를 잊고 말았어요. 선생님은 다시 행동을 수정해줍니다. 2번의 시도 동안 지시에 따른 올바른 반응(정반응)이 일어나지 않았기 때문에 민우는 아무런 강화를 받지 못했지요. 이렇게 연속으로 강화를 받지 못한다고 실패경험을 한다면 민우는 과제에 대한 흥미를 잃고, 하고자 하는 의욕이 사라질 수 있어요. 짜증을 낼 수도 있지요. 따라서 선생님은 연속해서 오반응이 나오면 바로 촉구를 통해 정반응이 나올 수 있도록 유도하여 강화물을 제공해주어야 합니다. 이는 과제에 대한 동기가 매우 중요하기 때문입니다. 아이들 역시 계속 실패를 하면 하고 싶은 마음이 사라지거든요. 내가 이 과제를 해서 무언가를 얻겠다! 하는 동기를 갖게 하기 위해서는 촉구를 통한 정반응을 통해 강화물을 얻게 하는 성공 경험이 필요합니다.

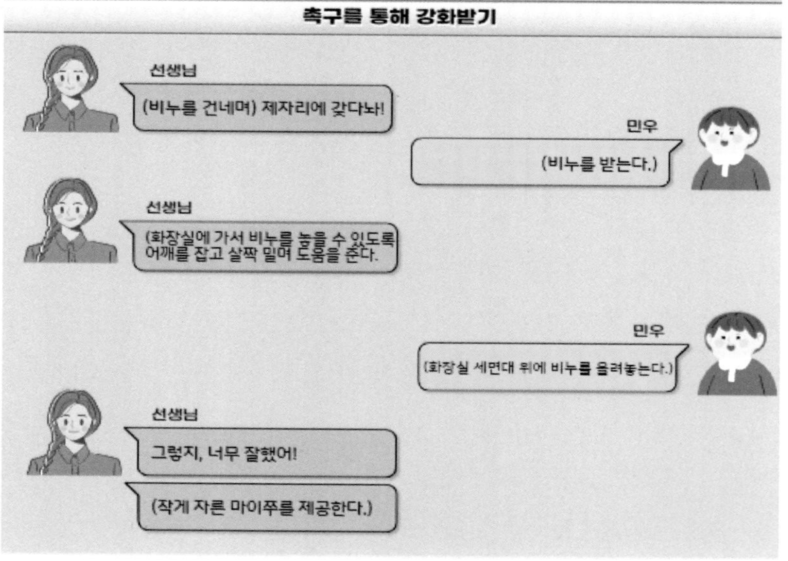

촉구를 통해 강화받기
선생님
(비누를 건네며) 제자리에 갖다놔!
민우
(비누를 받는다.)
선생님
(화장실에 가서 비누를 놓을 수 있도록 어깨를 잡고 살짝 밀며 도움을 준다.
민우
(화장실 세면대 위에 비누를 올려놓는다.)
선생님
그렇지, 너무 잘했어!
(작게 자른 마이쭈를 제공한다.)

위처럼 촉구를 통해 민우가 올바르게 반응할 수 있도록 유도하고 즉각적으로 강화를 제공합니다

.

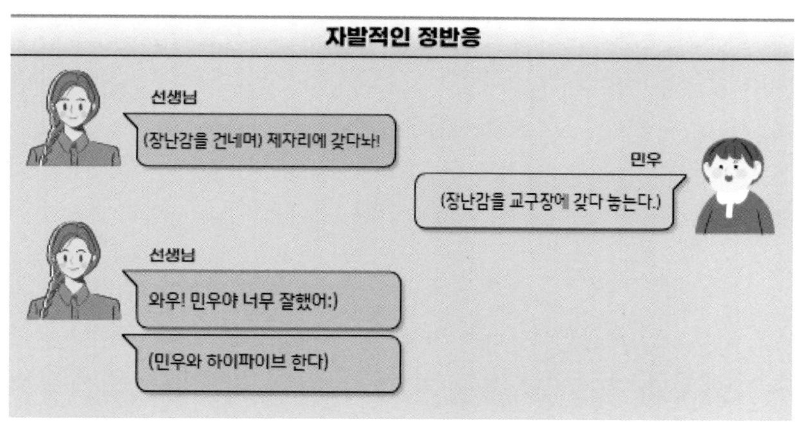

민우의 자발적인 성공 이후 선생님은 격렬한 칭찬을 쏟아 부어 주었어요. 그 이후에도 민우는 지시따르기를 연속해서 성공적으로 수행하는 모습을 보여주었답니다.

2. 요구하기 - (18) 타인에게 행동 맨드 : '비켜줘' 요구하기

요구하기 영역에서는 민우가 원하는 것에 대해 언어를 사용하여 요구하도록 돕습니다. 이를 위해 '요구하기(맨드)'를 할 수 있는 다양한 상황을 연출하여 맨드의 기회를 제공해요. 예를 들면 토리교실에서는 수업시간에 각자의 얼굴과 이름이 붙은

의자에 앉아야 하는데, 민우가 잠시 화장실에 가거나 놀이영역에서 놀이하고 있을 때 슬쩍 선생님이 민우의 의자에 앉아있는 거예요. 민우가 다시 자리로 돌아와 자신의 의자에 앉은 선생님을 밀쳐내려고 하거나 앉지 못하고 서 있으면 선생님은 민우를 보며 "'비켜줘' 하고 말해" 라며 촉구를 줍니다. 민우가 따라서 '비켜줘' 하고 말하면 '응~비켜줄게!' 하며 선생님은 즉시 자리를 비켜주어요.

민우가 쉬는 시간에 놀이영역에서 모양 퍼즐 맞추기 놀이를 하고 있어요. 선생님은 다음 과제를 빠르게 준비해놓고 민우의 의자에 슬쩍 앉아 민우를 바라보며 말해요. '자 민우야, 열 세고 자리로 돌아올 거예요. 하나, 둘, 셋…. 열!' 열을 세자 민우는 자신이 하던 장난감을 두고 일어났어요. 선생님이 말할 때 선생님을 쳐다보지는 않았지만, 바로 자리에서 일어나는 것을 보니 선생님의 이야기가 잘 듣고 있다는 것을 알 수 있습니다. 민우는 매트에서 일어나 자리로 돌아왔어요. 어? 자기 자리에 선생님이 앉아있는 것을 보고 멈칫해요. 그러더니 비어있는 선생님 의자에 앉으려고 해요. 이때 선생님은 민우를 잡으며 '비켜줘! 하고 말해' 해요. 민우는 고개를 돌리며 다시 선생님 의자에 앉으려고 해요.

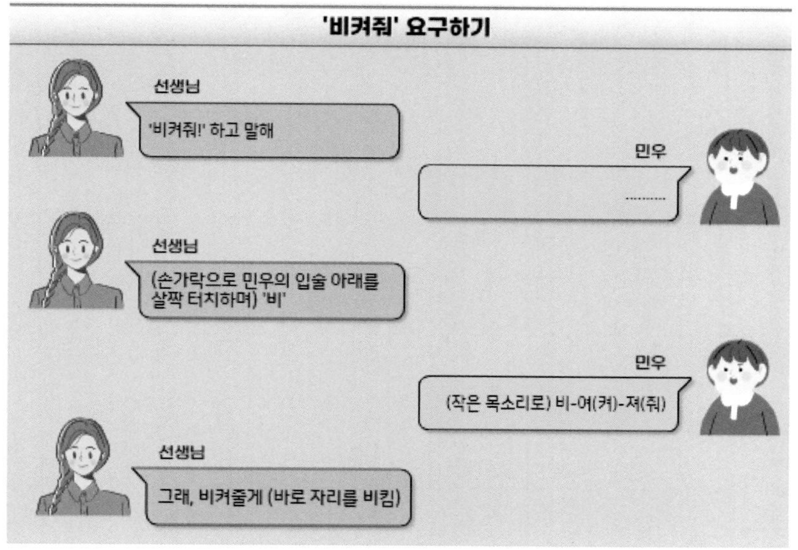

'비켜줘' 요구하기
선생님
'비켜줘!' 하고 말해
민우
....
선생님
(손가락으로 민우의 입술 아래를 살짝 터치하며) '비'
민우
(작은 목소리로) 비-여(켜)-져(줘)
선생님
그래, 비켜줄게 (바로 자리를 비킴)

이와 같은 중재는 수업시간 사이의 쉬는 시간마다 이루어져서 하루에 3-4번 정도 민우가 '비켜줘' 하고 말해볼 기회를 제공할 수 있었습니다.

이번에도 쉬는 시간에 놀이를 마치고 돌아오는 민우는 자신의 자리에 앉아있는 선생님을 보고 멈칫해요. 그러더니 몸으로 선생님을 밀치며 자기 의자에 앉으려고 시도해요. 선생님은 민우의 어깨를 잡고 '비켜줘' 하자 민우가 3초 뒤 '비.여.져(비켜줘)' 해요. 선생님은 "비켜줄게~" 하며 자리를 비켜주었어요. 쉬는 시간마다 이렇게 반복을 합니다.

개별공부시간이 끝나고 간식 시간이 되었어요. 민우와 친구들은 다시 책상에 모여앉았어요. 간식을 먹기 전에는 차례대로 화장실에 가서 손을 씻고 서랍장에서 자신의 간식 가방을 가져와야 합니다. 민우가 담당 선생님과 함께 손을 씻으러 화장실에 갔다가 간식 가방을 가지고 돌아왔어요. 어? 이번에는 다른 선생님이 민우의 의자에 앉아계시네요. (토리 선생님들은 서로 아이들의 중재 계획을 공유하고, 과제를 함께 진행할 수 있도록 돕습니다.)

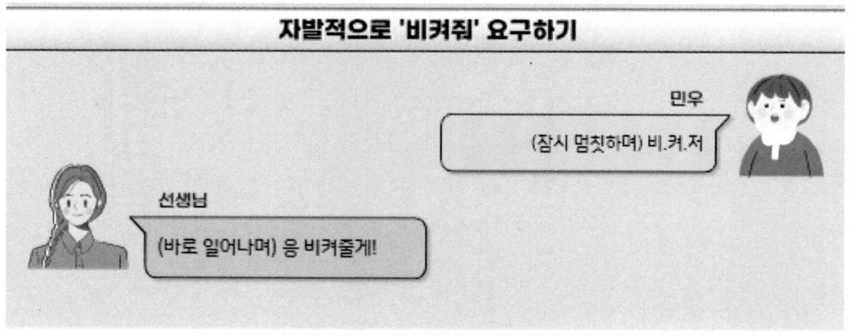

민우는 '비켜줘' 라는 요구하기를 촉구를 통해 여러 번 중재하니, 이후에는 자발적으로 요구하는 모습을 보였습니다. 아동이 과제를 성공적으로 수행했다고 해서 그 과제가 종료되는 것은 아니에요. 지속적으로 비슷한 상황을 연출하여 10번 중 9번(90%)을 자발적으로 요구할 수 있게 해야 합니다. 민우의 부모님께도 말씀드려 가정에서도 함께 도와주신다면 '비켜줘' 요구하기를 다양한 장소, 다양한 대상에게 사용해보도록 기회를 줄 수 있어요. 이를 '일반화'라고 합니다. 조기교실에서 연습한 것들을 조기교실 안에서만 사용하는 것은 의미가 없으니까요. 결국 우리가 함께 중재해나가는 것들은 아이가 사회(어린이집, 유치원, 학교)에 나가서도 의미 있게 사용되어야 하는 것들이에요. 이것이 ABA의 궁극적인 목표이기도 하지요. 이처럼 가정에서도 더 나아가 아동이 다니는 기관(어린이집, 유치원, 학교)과도 함께 중재 목표를 공유하고, 같은 태도로 중재를 해주신다면 아이의 변화와 성장에 아주 큰 도움이 된답니다.

3.명명하기- (16)동작 사진 보고 동작 이름 말하기 : 먹어요, 마셔요, 코자요, 세수해요

이번 과제는 선생님이 동작 사진을 보여주면 사진을 보고 동작 이름을 말해야 해요. 동작 명명하기의 중재 목표는 총 20개의 동작 이름을 말하는 것인데요, 매 수업시간 4-5개씩 나누어 동작 이름을 말해볼 수 있도록 도울 거예요. 이번에 민우가 말해야 할 동작 이름은 '먹어요', '마셔요', '코자요', '세수해요' 입니다. 민우는 기존 언어치료실에서 과제를 해봤던 경험이 있어 선생님이 동작 사진을 제시하자 바로 과제를 이해하고 동작 이름을 말하는 모습을 보였어요.

<동작 사진 예시>

일반화를 위해 동작 하나당 최소 3가지의 사진을 사용해요.

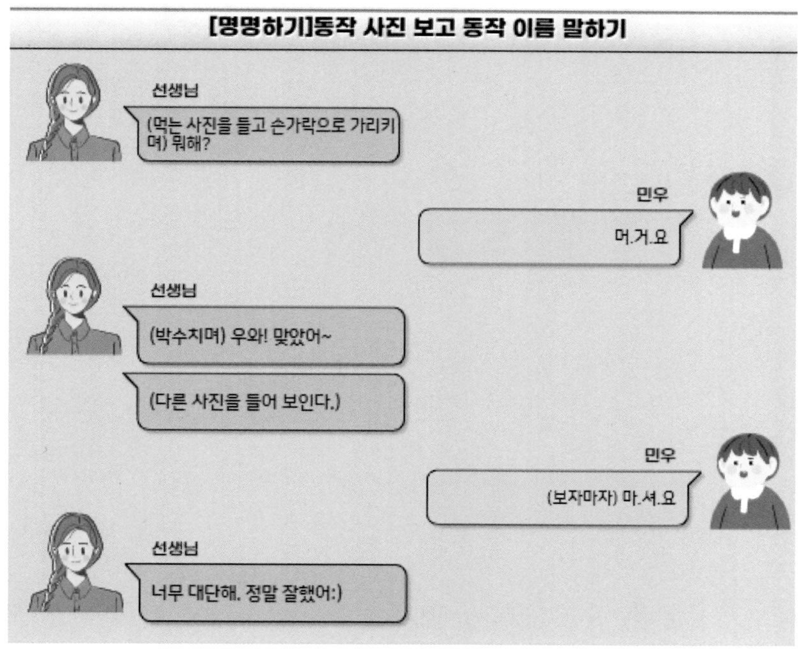

[명명하기]동작 사진 보고 동작 이름 말하기
선생님
(먹는 사진을 들고 손가락으로 가리키며) 뭐해?
민우
머.거.요
선생님
(박수치며) 우와! 맞았어~
(다른 사진을 들어 보인다.)
민우
(보자마자) 마.셔.요
선생님
너무 대단해. 정말 잘했어:)

민우는 '먹어요'와 '마셔요'를 한 번에 정확하게 명명하였습니다. 그러나 '코자요' 와 '세수해요'는 발음하기가 쉽지 않은지 말하기 좀 어려워하는 모습을 보였어요. 따라서 1회차에는 정반응률이 50%(10번 중 5번 성공)로 데이터가 기록되었어요. 수정과 촉구(한글자씩 따라말하기/ 사진 아래에 글씨써서 보여주기)를 반복해서 제공하니 2회차에서 민우는 자는 사진을 보며 '코자요' 하고 말할 수 있게 되었고, 세수하는 사진을 보며 '세수해요'하고 말할 수 있게 되었습니다. 물론 발음이 정확한 편

은 아니었지만요. 민우는 처음에 헷갈렸던 사진도 한 번 알려주고 다시 제시하면 정확히 기억해서 말할 수 있었습니다. 따라서 민우의 초반 과제들은 빠른 속도로 완료되는 편이었고, 1월에는 이외에도 입어요, 신어요, 색칠해요, 잘라요, 뛰어요, 안아요, 손잡아요 등 20개의 동작 이름 말하기를 빠르게 완료하였답니다.

4. 인트라버벌- (5) 맥락 없이 동작 이어 말하기

인트라버벌은 상대방과 이야기를 주고받기를 목표로 중재가 이루어지는 영역입니다. 상대방의 이야기를 듣고(청자), 적절하게 대답(화자)하는 능력이 모두 연습이 되어야 가능하지요. 흔히 상대방과 이야기를 주고받는다고 하여 핑퐁대화라고 표현하기도 해요. "다양한 상황 속에서 적절하게 타인과 이야기를 주고받는 것" 이 ABA 중재를 받는 모든 아이의 궁극적인 최종 목표라고 할 수 있겠지요. 이를 위해 인트라버벌 영역에서는 30개의 세부적인 장기 목표를 가지고 중재가 진행됩니다. 민우는 어느 정도 말하기가 가능하지만, 상대방과의 대화를 주고받는 것이 자연스럽게 이루어지지 않는 아이였기 때문에 인트라버벌 과제가 가장 중심을 두어야 할 중재의 목표가 되었어요.

이번 달에 민우가 수행하게 될 인트라버벌 과제는 '맥락 없이 동작 이어 말하기'입니다. 여기서 '맥락이 없다'는 건 참고할만한 자극이나 상황이 없는 것을 뜻해요. 즉, 선생님이 그냥 말하는 문장의 앞부분(ex. 밥을?)을 듣고 뒷부분(ex. 먹어요)을 알맞게 이어서 말해야 해요. 총 5가지의 동작을 이어 말하는 것이 이 과제의 목표입니다. 맥락 없이 이어 말하는 것을 어려워한다면 관련 동작 사진(맥락이 있는 상황 제시)을 보여주며 도움을 줄 수 있어요.

민우는 5개의 동작 이어 말하기 과제를 모두 1회차 만에 수행완료(90% 정반응)하였답니다.

 # 민우가 연습한 동작 이어 말하기 목록

밥을? 먹어요, 물을? 마셔요, 우산을? 써요,
종이를? 잘라요, 자동차를? 타요

집에서 함께 하는 aba놀이

촉진영역	지시 따르기
활동명	내 말을 따르시오 (가족 왕게임)
놀이할 때 필요해요	제비뽑기 종이, 왕관, 숫자를 쓴 상자 3개, 일상생활 물건
왜 이 놀이를 하나요?	상대방이 이야기하는 것을 주의 깊게 듣고, 상대방의 지시를 기억하여 따라볼 수 있어요.

이렇게 놀이 해주세요	• 제비뽑기를 한다. (왕관 그려진 종이를 뽑은 사람이 왕!) • 제비뽑기를 통해 지시를 내릴 왕을 정해, 왕은 왕관을 쓴다. • 다양한 지시를 내리며 가족들이 따라 할 수 있도록 한다. <1단계 지시> – 뒤돌아, 점프해, 손뼉 쳐, 앉아, 부엌으로 가, 휴지 뽑아 등 – <2단계 지시> – 만세하고 구리구리해, 화장실에 가서 휴지 가져와, 앉았다가 일어나, 침대에 누워서 이불 덮어, 물 마시고 컵 갖다놔 – <3단계 지시> ☺ 티슈곽(상자)에 크게 숫자를 써서 준비해주세요. ☺ 상자의 위치는 집 안 곳곳에 계속 바꾸어 볼 수 있어요. – 공을 들고 3번 상자에 가서 넣어 – 일어나서 2번 상자에 가서 스카프 꺼내 – 1번 상자에 가서 쿠키를 꺼내서 엄마 줘 - Tip. 게임 전, 가족들과 함께 논의하여 보상(강화제)을 정해요. 게임을 하고 싶은 마음을 만드는 것이 가장 중요합니다.(동기)

2023년 2월

조기교실에서 함께 수업을 한지 한달 정도가 지나자, 작기만 했던 민우의 목소리가 점점 커져가는 것을 느낄 수 있었습니다. 인사 시간에 모여 앉아 노래를 부르려고 선생님이 손 허리 하며 '준비' 말하면 큰 소리로 '시작!' 하고 이어 말하기도 했고, 노래가 끝나면 예! 하고 우렁찬 목소리로 노래를 따라부르는 모습을 보이기도 했어요. 이러한 민우의 변화는 선생님들도 어머님도 매우 뿌듯한 순간이지요. 그만큼 민우가 센터에서의 시간을 조금 더 편하고 즐겁게 받아들이고 있다는 뜻이니까요. 개별공부 시간에도 과제를 수행함에 자신감이 생기며 전반적으로 큰 목소리로 대답하는 모습이었고, 다른 선생님들께서도 민우가 1월에 비해 표정에 활기가 생겼다고 피드백을 주셨습니다. 또한, 본인이 원하지 않는 것은 '아니!' 하고 우렁차게 대답하고, 원하는 것에 대해서는 '네!' 하며 분명하게 의사를 표현하는 모습을 보이기도 하였어요.

1.변별- (23)성별 변별하기 (여자/ 남자)

변별하기 영역의 과제는 지시따르기와 마찬가지로 청각적인 활동에 속해요. 이는 수용언어와 연관이 있는 것으로, 상대방이 하는 이야기를 잘 듣고 그것에 맞게 앞에 놓인 자극들을 가리키는 것을 목표로 중재가 이루어집니다. 즉, 청각적 자극을 변별할 수 있는지가 핵심 능력이라고 볼 수 있지요. 청각적인 변별이 가능해야 언어를 사용할 수 있기 때문에, 청각적인 활동은 매우 중요해요. 왜냐하면 각각의 소리마다 다른 의미를 가지고 있고, 각각의 소리마다 아동에게 요구되는 행동이 있음을 이해할 수 있어야 하기 때문이지요.

민우가 수행하게 될 변별과제는 먼저 사람 카드를 성별에 따라 변별해보는 것입니다. '남자' 가 어떤 것을 의미하는지, '여자'가 어떤 것을 의미하는지 소리를 듣고 이해할 수 있어야겠지요. 과제를 위해 민우 앞에 여자 사진 1장, 남자 사진 1장 총 2장의 사진카드를 둡니다. 그리고 '여자 줘' 또는 '남자 줘' 하고 말해요. 민우는 선생님의 말을 듣고 그에 맞는 카드를 골라 선생님에게 전달해야해요.

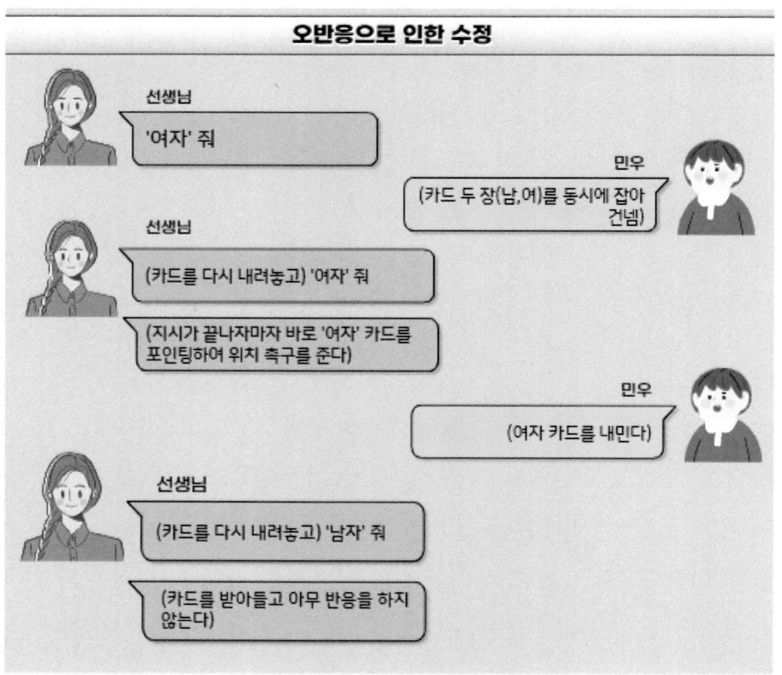

위처럼 연속해서 여러번 오반응이 일어났으므로, 다음 시도에서는 바로 촉구를 통해 민우가 정반응을 하고 강화를 받을 수 있도록 유도해요.

오반응 후 몇번 연속의 촉구 과정을 거쳤음에도 민우는 여전히 성별 변별을 헷갈려했어요. 우연히 정반응으로 나타나는 경우도 있었지만, 여전히 오반응의 비율이 높은 편이었지요. 따라서 슈퍼바이저와의 상의를 거쳐 변별과제(청자변별)를 중지하고, 매칭과제(시각)를 통해 남자, 여자사진을 매칭해본 후 다시 변별과제를 진행해보기로 했습니다. 이렇게 아이가 과제를 잘 수행하지 못해 데이터의 그래프가 하향하거나 변화되지 않고 있다면 선생님은 과제를 중단하고 변경해서 진행할 수 있어요.

이에 관한 내용은 데이터 관리 문서에 모두 기록되어 집니다.

남자, 여자 매칭하기는 선생님이 건네준 남자, 여자 카드를 같은 곳에 놓는 과제로, 매칭하기는 시각적 활동에 속해요. 즉 시각적인 자극(남자, 여자 사진카드) 를 같은 특징에 따라 나눌 수 있는 능력이 필요하지요. 이렇게 시각적인 자극의 동일성을 인식하게 되면, 언어적인 개념이 형성되었다고 볼 수 있어요. 민우에게 남자, 여자 카드를 한장씩 주며 '같은 곳에 붙여!' 하고 지시하니 민우는 남자는 남자 사진이 붙어있는 사진판에, 여자는 여자 사진이 붙어있는 사진판에 잘 매칭했어요. 첫 시도에서는 오반응을 보였지만, 한번 수정해준 이후로는 계속해서 같은 성별끼리 정확하게 매칭하는 모습을 보였답니다.

<남자, 여자 매칭판 예시>

같은 성별끼리 사진을 매칭한 모습

매칭과제를 여러 시도 끝에 완료한 후, 다시 성별에 따른 변별과제를 다시 시도하였습니다. 민우는 매칭과제 후 다시 진행된 변별과제에서 1회차 80%, 2회차 80%, 3회차 100%의 정반응률을 나타냈어요. 이와 같은 데이터를 통해 민우는 '남자', '여자'라는 청각적 자극의 변별 능력을 습득했다고 판단하며 과제를 준거도달 합니다.

2. 지시따르기- (22) 사물을 특정한 장소에 갖다놓음: '00에 갖다놔'

1월에는 물건을 제자리에 갖다 놓는 과제를 수행했다면, 이번 달에는 선생님이 말하는 특정한 장소 5곳에 물건을 가져다 놓는 과제가 진행되었어요. 언뜻 보면 비슷한 과제라고 느껴질 수 있지만, 이 과제를 수행하기 위해서는 '장소 이름'을 변별할 줄 알아야 합니다. '장소 이름'을 듣고 이해할 수 있어야 그 장소에 물건을 갖다 놓으라는 지시를 이해할 수 있을 테니까요. 이렇듯 ABA에서는 같거나 비슷해 보이는 행동을 작은 단위로 쪼개 여러 번 반복하여 연습시킵니다.

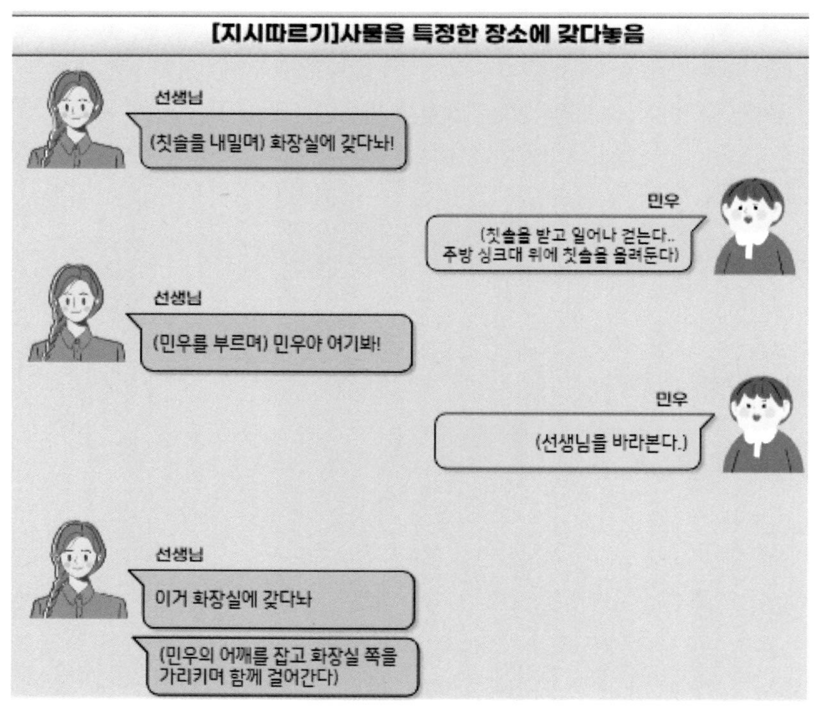

[지시따르기]사물을 특정한 장소에 갖다놓음
선생님
(칫솔을 내밀며) 화장실에 갖다놔!
민우
(칫솔을 받고 일어나 걷는다..
주방 싱크대 위에 칫솔을 올려둔다)
선생님
(민우를 부르며) 민우야 여기봐!
민우
(선생님을 바라본다.)
선생님
이거 화장실에 갖다놔
(민우의 어깨를 잡고 화장실 쪽을
가리키며 함께 걸어간다)

이와 같은 방법으로 지시따르기 과제를 여러 번 진행했지만, 이번에도 민우는 선생님의 이야기를 듣고 자리에서 일어나 힘없이 걸어가다 아무 곳에나 물건을 올려놓기를 반복했습니다. 민우의 표정은 과제를 수행하기에 의욕이 없고 집중하기 어려워 보였어요. 따라서 민우의 의자를 들고 5곳의 장소에 모두 가기 편하고 가까운 곳으로 옮겨 앉아 다시 과제를 진행했어요. 그리고 빠르게 촉구를 주어 정반응을 일으킬 수 있도록 유도하

고 수행 후 '놀이영역에서 놀기(활동 강화제)'를 제시하니 이전보다는 의욕을 보이며 과제를 수행하는 모습을 보였습니다.

민우는 지시따르기 과제를 수행하는 데 있어서 컨디션의 영향을 많이 받는 편이었어요. 오전에 어린이집을 갔다가 오후에 조기교실로 오는데, 보통 개별수업 초반 1,2교시에는 컨디션 좋게 참여를 하지만 3,4교시부터는 피곤해하는 모습을 보였거든요. 이러한 컨디션이 아이의 과제 수행에도 큰 영향을 미칠 수 있습니다. 원래는 잘 할 수 있는 과제도 컨디션이 좋지 않으면 집중하기 어려워하고, 과제를 하고자 하는 동기가 사라질 수 있기 때문이에요. 그래서 선생님들과 상의를 한 후, 민우의 '지시따르기' 과제는 가능하면 민우의 컨디션이 좋은 수업 초반 1,2교시에 진행하기로 계획하였습니다.

3.요구하기- (18)타인에게 행동맨드: '내려줘' 요구하기

이번 달에는 민우가 좋아하는 '퍼즐'이나 '마이쭈'를 높은 곳(민우의 시야 안에는 들어오지만, 손이 닿지 않아 도움이 필요한 위치)에 올려놓고 민우가 자발적으로 '내려줘'하고 요구할 수 있도록 연습해보려고 합니다. 쉬는 시간에 민우가 즐겨하는 퍼즐을 슬쩍 책장 위에 올려두고, '민우야, 퍼즐할까?' 하고 말하며 관심을 유도해요. 그 말을 들은 민우는 두리번거리다가 퍼즐을 발견했어요. 스스로 발견하지 못하면 선생님이 손가락으로 살짝 가리켜 힌트를 줄 수도 있어요. 민우는 손을 뻗어보지만 퍼즐에 손이 닿지 않자, 선생님 손을 잡아당기며 퍼즐을 가

리켜요. 선생님은 민우를 보며 ‘내려줘! 해봐’ 하고 말해요. 민우는 얼굴을 찌푸리며 더 강하게 손가락으로 퍼즐을 가리켰어요. 선생님은 민우는 보며 다시 한번 ‘내려줘!하고 말해’ 해요. 민우가 머뭇거리더니 잠시 뒤 따라서 ‘내.여.저’ 했어요. 선생님은 즉시 퍼즐을 내려주어요. 이런 식으로 민우가 수업 중간중간 요구할만한 것들을 높은 곳에 올려놓고 필요할 때 스스로 요구해볼 수 있는 상황들을 계속 제시해주었습니다. 이러한 요구하기 과제는 준거 도달(정반응률 90%)이 되어 다음 과제로 넘어가게 되어도, 중간중간 다양한 상황을 의도적으로 연출하여 계속해서 연습해볼 수 있도록 기회를 제공합니다.

지난 달에 연습했던 요구하기로는 ‘비켜줘’ 라는 표현이 있었는데요, 민우는 그룹활동 시간에 자신의 의자에 앉아있는 친구에게 다가가 자발적으로 ‘비.여.줘’ 하는 모습이 관찰되기도 하였습니다. 그 모습을 본 모든 선생님들은 박수를 치며 민우를 칭찬해주었지요.

4. 인트라버벌- (6) 이름을 묻는 질문에 대답

이번 달 인트라버벌 영역의 과제는 ‘너 이름이 뭐야?’ 하고 묻는 선생님의 질문에 알맞게 대답하는 것이에요. 여기에서 알맞은 대답이란, 민우의 이름을 말하는 것이겠지요. 과제 시작 전 선생님은 어떻게 이름을 대답해야 정반응으로 체크할 지에 관해서도 결정해야 합니다. 이 과제에서는 ‘김민우’ 또는 ‘민우’

둘 다 정반응으로 체크하기로 했어요. 이와 같은 결정은 센터의 선생님들이 확인할 수 있도록 공유해야 해요. 그래야 민우의 프로그램을 진행하는 모든 선생님이 같은 기준으로 민우의 반응을 데이터화 할 수 있기 때문입니다.

질문에 대해 대답을 하지 못하는 경우에는 대답할 수 있도록 촉구를 주어요. 이 과제에서 촉구를 줄 수 있는 방법으로는 ① 이름 전체 에코익(따라 말하기) ② 이름 첫글자 에코익 ③ 이름 글씨 보여주기 (글자를 읽는 아동의 경우에 해당) 가 될 수 있어요.

[♣이름 묻는 질문에 대답하기 촉구 방법]	
①촉구1: 이름 전체 에코익	- 선생님: 너 이름이 뭐야? '김민우' - 민우: 김.미.누 - 선생님: 그렇지 잘 대답했어!
②촉구2: 이름 첫글자 알려주기	– 선생님: 너 이름이 뭐야? '김' – 민우: 김.미.누 – 선생님: 우와~ 민우구나! 이름 너무 멋지다.
③촉구3: 이름 글씨 보여주기	– 선생님: 너 이름이 뭐야? (이름을 써놓은 글자카드를 보여준다) – 민우: (글자카드를 읽으며) 김.미.누 - 선생님: 우와, 너무 잘 대답했어요.

민우는 2번째 방법인 이름 첫 글자 알려주기 방법으로 초반에 촉구를 2번 주었더니 그 이후에는 '너 이름이 뭐야?' 라는 선생님의 질문에 바로 이름을 대답하는 모습을 보였습니다. 연속해서 10번 정반응을 보였기 때문에 이 과제도 1회차만에 성공적으로 수행이 완료되었어요.

2월 집에서 함께 하는 aba놀이

촉진영역	인트라버벌
활동명	우리 가족의 주말을 정해요 (주말 스케쥴 정하기)
놀이할 때 필요해요	스케쥴 판(종이), 자석 또는 테이프, 스케쥴 카드
왜 이 놀이를 하나요?	우리 가족이 보낼 주말 일정을 함께 정하고, 사건을 시간 순서대로 이해하고 설명할 수 있어요.

이렇게 놀이 해주세요	**• 스케쥴 카드를 3-4개 준비해주세요.** ☺ 주말에 할일 또는 갈 장소를 사진이나 그림카드로 준비해요. 글자를 읽을 수 있다면, 단어카드를 만들 수도 있어요. (ex. 밥먹기, 책읽기, 산책하기) **• 스케쥴 카드를 소개하고 함께 순서를 정해요.** - 오늘 우리가 해야 할 일들이야. - 제일 먼저 무엇을 할까? - 이 다음엔 무엇을 하고 싶어? 00이가 골라줘 - 00이가 고른 '산책하기' 카드를 자석으로 붙여줘 **• 스케쥴 판을 보며 주말 일정 순서에 대해 말해요.** **• 일정이 끝난 후, 스케쥴에 대한 퀴즈 놀이를 해요.** ☺ 대답하기 어려워하면 스케쥴표를 보여주며 힌트를 주세요. - 우리 오늘 밥 먹기 전에 뭐했지? (산책했어) - 산책 다녀와서는 그 다음에 뭐했더라? (밥 먹었어) - 할머니네 가서 뭐 먹었지? (케이크 먹었어) - 맞아, 잘 이야기해줬어! **Tip.** 게임 시작 전, 가족들과 함께 논의하여 보상(강화제)을 정해보세요! 게임을 하고 싶은 마음을 만드는 것이 가장 중요합니다. (동기설정)

2023년 3월

3월은 아이들이 오전에 다니는 기관(어린이집, 유치원, 학교)이 새롭게 학기가 시작되는 달입니다. 민우는 3월이 되면서 다니는 유치원이 바뀌어 집과의 거리가 조금 더 멀어지게 되었고, 아침에 기상하는 시간이 평소보다 1시간 더 빨라졌어요. 동시에 어머님은 복직을 하게 되시면서 이모님께서 유치원과 센터의 등, 하원을 맡아서 해주게 되셨어요. 한꺼번에 많은 환경의 변화가 민우에게 일어나게 되었네요. 이렇게 아이의 주변 환경 히스토리는 중재에 영향을 미치는 중요한 요인이 되기도 합니다. 따라서 민우의 상황을 어머님과 긴밀하게 공유하고, 민우의 컨디션을 고려하여 중재 계획을 세우는 것이 필요합니다.

민우는 새로운 환경에 대한 긴장감이 생겼지만, 상대적으로 토리교실은 익숙하고 편안한 공간으로 받아들이게 된 것 같아요. 3월에는 쉬는 시간에 퍼즐 놀이를 하고 있던 민우가 퍼즐이 잘 맞춰지지 않자 처음으로 소리를 내며 우는 일이 있었거든요. 그 이후 과제가 어렵거나 놀이가 마음대로 되지 않는 등의 상황에서 부정적인 감정을 표출되는 경우가 늘어났습니다. 상담시간에 어머님께 이러한 민우의 모습을 전달드리니 “어머나, 드디어 그 모습을 보셨군요! 집에서는 매일 그렇게 짜증을 내며 울어요.” 하고 말씀하셨어요. 민우의 선비 같던 모습은 긴장감으로부터 나오는 모습이었나 봅니다. 어머님의 말씀을 듣고는 ‘민우가 그동안 나름 긴장을 하며 센터에서 시간을 보냈구나. 이제는 불편한 마음을 표현할 수 있게 되어 다행이다’라는 생각이 들었답니다. 물론 궁극적으로 이러한 부정적인 감정의 표현은 언어를 사용함으로써 적절하게 표현할 수 있게 도와야 합니다.

1.지시따르기- (23)다른 장소에 가서 특정한 아이템을 가져옴

3월 지시따르기 영역에서는 다른 장소(화장실, 싱크대, 신발장, 상담실(토끼방), 교사실(다람쥐방)에 가서 특정한 아이템을 가져오는 과제가 진행되었습니다. 이때 각 장소에 아이템은 두 개씩 세팅됩니다. 즉, 선생님이 말하는 장소에서, 두 개의 물건 중 선생님이 말하는 물건을 가져와야 하지요. 따라서 조금 더 주의 깊게 상대방의 이야기를 듣는 청자의 능력이 필요해요. 앞에서 설명해 드렸듯이 민우의 지시따르기 과제 수행 데이터는 민우의 컨디션과 매우 밀접한 연관이 있었어요. 민우가 과제를 잘 연습할 수 있도록 컨디션이 좋은 수업 초반(1,2교시)에 과제를 진행해야 합니다. 선생님은 민우에게 '싱크대에 가서 '숟가락' 가져와' 하고 지시합니다. 이때 민우는 본인이 가야 할 장소인 '싱크대'와 가져와야 할 물건인 '숟가락' 이 2가지를 잘 기억해야 해요. 민우는 이전보다 조금 더 복잡해진 과제를 어려워하는 모습을 보였어요. 싱크대까지는 잘 갔는데 숟가락이 아닌 포크를 가져오기도 하고, 중간에 지시를 잊고 가만히 서서 어리둥절해 하기도 했어요.

민우가 과제를 수행하다가 지시를 잊는 일이 없도록 각 장소와 가까운 곳(센터 한가운데)으로 의자를 옮기고, 최대한 간결하고 명확하게 지시를 주어 민우가 과제에 집중할 수 있도록 도왔어요. 민우가 집중을 하지 못하는 모습을 보일 때는 민우가 평소 쉽게 수행할 수 있는 영역의 과제를 진행한 뒤, 과제를 수행하고자 하는 동기를 좀 상승시킨 후 다시 지시따르기 과제를 진행하는 것도 좋은 방법이 될 수 있습니다.

아래의 데이터를 통해 민우는 위의 지시따르기를 3회차만에 성공적으로 완료(정반응률 90% 이상)한 것을 확인할 수 있습니다.

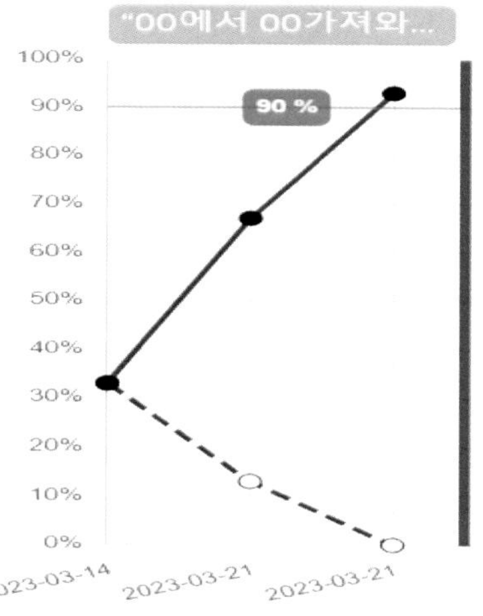

LTO 그래프 (23) 다른 장소에 가서 특정한 아이템을 가져옴

2. 요구하기- (18)타인에게 행동맨드 : 꺼내줘

매달 민우가 원하고, 좋아하는 강화제를 활용해 다양한 요구하기 표현을 사용해볼 수 있도록 유도하고 있습니다. 이번 달에는 좋아하는 마이쮸 또는 고래밥을 민우가 스스로 열기 어려운 통에 넣어놓고, 민우가 '꺼내줘' 맨드를 통해 자발적으로 요구해볼 수 있는 기회를 제공합니다.

3. 명명하기- (21)2단어 택트

2단어 택트란, 쉽게 말해 2단어로 이야기하는 것이에요. 아이가 2단어로 말할 수 있도록 돕기 위해서는 그림 카드 또는 그림책과 같은 자료가 필요합니다. 아이들이 평소 좋아하고 익숙한 캐릭터를 활용할 수 있어요.

< 2단어 택트 그림카드 예시>	

토끼(가) 그네타	호랑이(가) 물마셔

위의 카드를 민우에게 보여주면 민우는 '토끼(가) 그네타', '호랑이(가) 물마셔' 하고 말해야 해요. 아이에게 제시할 그림들을 선정할 때에는 이미 아이가 변별할 수 있고, 말할 수 있는 동작 이름인지 아닌지 확인하는 것이 중요합니다.

<2단어 택트 그림책 예시>

 [출처: 읽어주는 인성발달 그림책 02 맛있게 냠냠!, 블루래빗]	 [출처: 두드려 보아요, 사계절]
그림책 1. 당근을 먹어요 (생선을 먹어요, 주스를 마셔요)	그림책 2. 곰이 양치해 (곰이 코자)

*글자를 읽을 수 있는 아동과 과제를 수행할 때는 글자를 가려주세요. 힌트가 될 수 있어요.

마찬가지로 그림책을 펼치면 민우는 책 속의 그림을 보고, 그 그림에 대해 말해야 합니다. 위의 그림책 1에서는 '당근을 먹어요' 가 말하기 목표이지만, 해당 페이지 속 다른 그림(생선을 먹어요, 주스를 마셔요)을 말해도 정반응으로 표시할 수 있어요. 책 속의 그림을 적절하게 2단어로 말하는 것이 이 과제의 핵심이기 때문이에요. 그림책 2를 펼치면 민우는 '곰이 양치해' 하고 말하거나 '곰이 코자' 하고 말할 수 있어요. 책 속 장면을 적절하게 2단어로 말하면 정반응으로 체크합니다.

이처럼 그림카드와 그림책을 활용하여 민우는 30개의 2단어 문장을 이야기할 수 있도록 연습합니다. 민우는 30개의 문장을 하루에 2-3개씩 나누어 연습했어요. 연습해야 할 표현이 많아 해당 과제는 4월까지 두 달간 진행되었습니다.

아래는 민우가 연습한 2단어 택트 목록 30개 중 15개의 예시입니다.

2단어 택트 리스트(예시)

호비가 뽀뽀해, 호비가 코자, 호비가 치카해, 호비가 자동차타,
뽀로로 낚시해, 뽀로로가 그네타, 크롱이 블록쌓아,
에디가 목욕해, 토끼가 손씻어, 당근을 먹어요,
곰이 양치해, 풍선을 불어요,
아빠를 안아요, 비누로 손씻어, 머리를 빗어요

4. 인트라버벌 - (7) 2단어 이상으로 노래 이어부르기

이번에는 평소 민우가 알고 있던 노래들을 통해 인트라버벌 연습을 진행합니다. 선생님이 불러주는 노래 앞부분을 잘 듣고 2단어 이상 이어서 불러야 해요. 총 5개의 노래를 이어 부르는 것이 이 과제의 목표입니다. 민우는 평소 율동 시간에 선생님이 노래를 부르며 율동 하는 모습을 보고 가끔 따라부르는 모습을 보이기도 했기 때문에 이 과제는 1회차 만에 완료되었습니다. 민우는 2단어 이상 말할 때 여전히 한 단어씩 끊어 말하는 모습을 보이며 2단어를 모두 말하는 데 시간이 오래 걸리는 편이지만 기다려주면 끝까지 대답하는 모습을 보였답니다. 선생님은 민우가 끝까지 대답할 수 있도록 기다려주고 2단어로 모두 이어 부르기를 끝내자마자 곧바로 강화해줍니다.

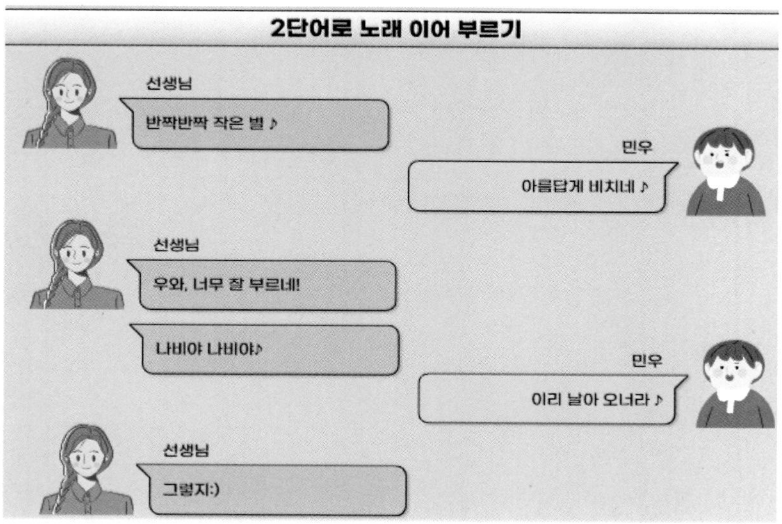

촉진영역	매칭
활동명	**뒤죽박죽 양말 (가족 양말 분류하기)**
놀이할 때 필요해요	다양한 모양의 가족 양말, 바구니
왜 이 놀이를 하나요?	여러 가지 종류의 양말을 다양한 범주(색깔, 모양, 크기, 가족)로 나누어볼 수 있어요.
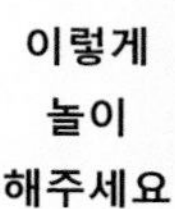 **이렇게 놀이 해주세요**	• **여러 가지 종류의 양말을 꺼내서 함께 살펴보며 이야기한다.** - 이건 무슨 색깔이지? 빨간색 양말이네~ - 줄무늬 양말도 있고, 땡땡이 무늬 양말도 있어 - 발가락 양말이네. 아빠 양말이야 -  • **같은 양말끼리 나누어 보기로 한다.** ☺ 양말을 나누어 볼 바구니를 여러 개 준비해주세요. ☺ 아이의 수준에 따라 바구니에 힌트를 줄 수 있어요. ex) 바구니에 색깔 이름 써주기, 양말과 같은 색깔 바구니 준비하기 등

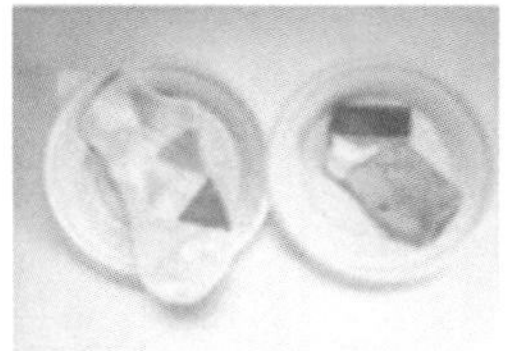

- 같은 양말끼리 놔!
- 똑같은 양말 어디있지?

• **정해진 규칙대로 양말을 잘 분류하면 칭찬한다.**
- 오 맞았어! (하이파이브하며) 잘했어
- 나이스! (고래밥 1개를 준다)
-

• **아동의 수준에 따라 규칙을 바꾸어 진행한다.**
1) 같은 색깔끼리 매칭하기
2) 같은 무늬끼리 매칭하기
3) 같은 모양끼리 매칭하기 (짧은/ 긴/ 발가락)
4) 가족 양말끼리 매칭하기 (아빠/ 엄마/ 내 양말)

- 이번에는 같은 무늬가 그려진 양말끼리 모아보자

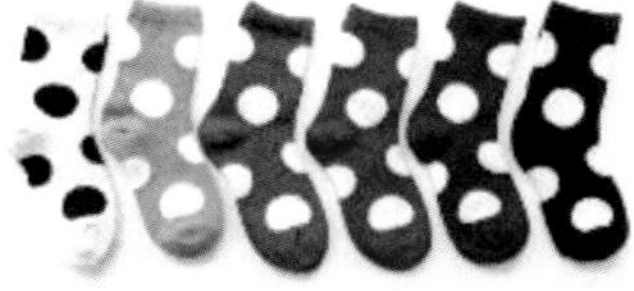

2023년 4월

조기교실 4개월 차, 민우는 이제 엄마가 아닌 이모님과 함께 센터에 오는 것을 즐겁게 받아들이고 있어요. 센터의 비밀번호를 스스로 누르고 문을 여는 것도 민우의 즐거움이 되었지요. 초반에는 센터에 와서 신발을 벗고, 가방을 벗어 정리하는 개별 행동들 하나하나에 촉구가 필요했다면, 이제는 아무런 도움 없이 스스로 신발을 벗고 가방과 겉옷을 벗어 자신의 서랍장에 정리하고 이모님께 인사한 후 교실로 들어가는 과정이 꽤 자연스러워졌답니다.

민우에게는 센터에 들어오자마자 가장 먼저 하는 행동이 생겼는데요, 바로 동물 머리띠를 선생님들에게 나눠주는 것입니다. 우연히 나누어주었던 경험이 재미있었던 것 같아요. 항상 같은 선생님께 같은 동물 머리띠를 나누어주고, 교실 앞에 놓여져있는 조기교실 시간표 그림을 보고 읽는 것이 민우의 첫번째 패턴이었지요. '안녕안녕 인사하고, 공부하고, 간식먹고….' 이와 같은 행동을 할 때 민우는 참 즐거워보이고 편해보입니다.

3개월 간 지켜본 민우는 정해진 계획, 짜여진 틀 안에서 행동하는 것에 안정감을 느끼는 아이였어요. 예상치 못한 상황이나 갑자기 바뀐 계획, 계획과 맞지 않는 일정 진행(정확히는 1분 단위까지 지켜야 해요. 예를 들어 3시에 수업이 시작인데, 3시 1분이 되어도 수업이 시작되지 않으면 불안해하거나 짜증을 내는 모습을 보입니다.)에 강한 불편함을 표현하기도 하더라고요.

하루는 센터에 들어온 민우가 머리띠를 나눠주려 하자 한 선생님께서 민우의 반응을 보기 위해 '민우야, 오늘 선생님은 머리띠 안 하고 싶어' 하고 이야기했어요. 그러자 민우는 매우 당황하며 '아니야, 아니야' 하고 말하며 울기 시작하더니 갑자기 맥락에 맞지 않는 외웠던 말들을 쏟아내는 모습을 보였어요.(ex. 쓰레기는 쓰레기통에 버려야해요, 친구는 밀지않아요 등) 선생님들은 그런 민우의 모습에 반응하지 않고 스스로 진정하기를 기다리다가, 민우가 진정하자마자 다가가요. 그리고 선생님이 머리띠를 쓰지 않아서 속상했냐고, 머리띠를 쓰지 않고 싶은 날이 있을 수 있다고 설명해주었습니다.

1.변별하기- (24)같다, 다르다 변별하기

이번 달 수행하게 될 변별하기 영역의 과제는 "같다, 다르다 변별하기"입니다. 같다, 다르다 변별하기 과제를 위해서는 사물카드가 필요해요. 사물카드는 1종류 당 3장의 카드가 준비되어야 합니다(같은 모양의 사진 2장(A1, A2), 다른 모양의 사진 1장(B1)). 예를 들어 '양말' 이라면 같은 똑같이 생긴 양말 사진 2장, 다르게 생긴 양말 사진 1장이 필요하지요. 민우는 이렇게 10종류의 사물카드(숟가락, 컵, 칫솔, 양말, 공, 인형, 시계, 색연필, 블록, 가위)를 사용하여 같다, 다르다 변별하기 과제를 수행하게 됩니다.

<같다, 다르다 변별 사진 예시>		
양말 A1	양말 A2	양말 B1
칫솔 A1	칫솔 A2	칫솔 B1

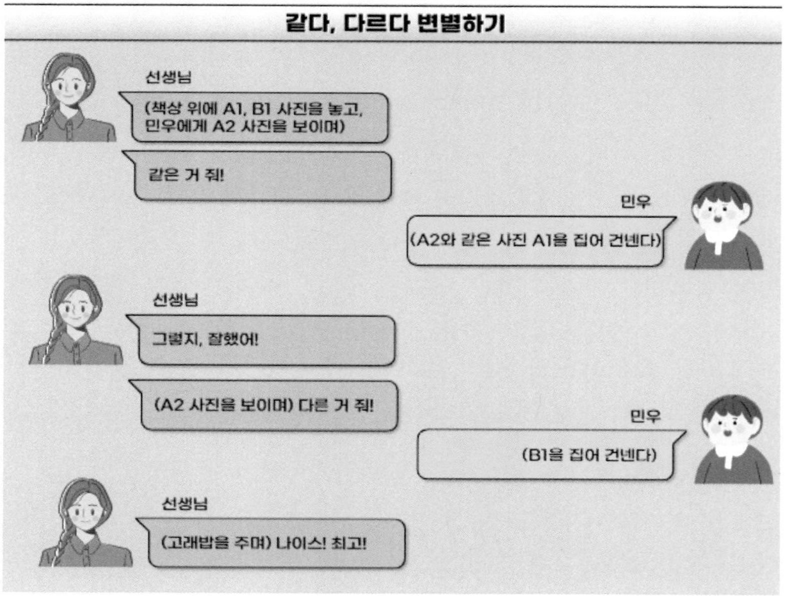

같다, 다르다 변별하기
선생님
(책상 위에 A1, B1 사진을 놓고, 민우에게 A2 사진을 보이며)
같은 거 줘!
민우
(A2와 같은 사진 A1을 집어 건넨다)
선생님
그렇지, 잘했어!
(A2 사진을 보이며) 다른 거 줘!
민우
(B1을 집어 건넨다)
선생님
(고래밥을 주며) 나이스! 최고!

민우는 '같다', '다르다' 에 대한 청자 변별을 잘 수행할 수 있었어요. '같다', '다르다' 가 어떤 의미를 뜻하는지도 잘 이해하고 있는 것 같지요? 사진(2D)으로 변별하기를 어려워하는 아이들에게는 실제 사물(3D)로 변경하여 조금 더 변별이 쉽도록 제시할 수 있습니다.

2. 요구하기- (18)타인에게 행동맨드: '눌러줘'

민우가 좋아하는 클레이 장난감을 가지고 새로운 요구하기 표현을 연습하기로 했어요. 구멍에 클레이를 넣고 손잡이를 힘껏 눌러야 클레이가 유니콘 응가가 되어 나오는 장난감인데, 민우 스스로 손잡이를 누르기 힘들어 선생님의 도움이 필요합니다. 이 장난감을 가지고 놀 때마다 민우는 선생님의 손을 가져가 손잡이 위에 올려놓으려고 하거나 장난감을 선생님에게 내미는 행동을 했어요. 이럴 때 선생님은 '눌러줘' 라고 말할 수 있도록 유도합니다. 민우가 '눌러줘' 하고 이야기하면 선생님을 바로 민우가 원하는대로 손잡이를 눌러주었어요.

3. 인트라버벌- (8) 동작 이어 말하기

이번 달의 인트라버벌 영역의 과제는 장기목표 8번인 동작 이어 말하기입니다. 앞서 진행되었던 인트라버벌의 4번이었던 '맥락 없이 동작 이어 말하기' 과제와 똑같이 진행되는 과제이지만 이번에는 25개의 동작을 이어 말할 수 있어야 합니다. 하나의 과제를 완료하기까지 더 많은 시간이 필요하겠지요. 25개의 동작은 먼저 3-4개씩 끊어 연습하고, 숙달이 되면 점차 개수를 늘려 한 번에 10개, 15개 그리고 25개까지 시도해볼 수 있습니다.

다음은 민우가 동작 이어 말하기 인트라버벌 과제를 통해 연습한 25개의 동작 중 13개 동작 예시입니다.

동작 이어말하기(예시)

신발을? 신어요, 불을? 꺼요, 의자에? 앉아요,
손을? 씻어요, 노래를? 불러요, 가위로? 잘라요, 책을? 봐요,
풍선을? 불어요, 쓰레기를? 버려요, 그림을? 그려요,
양말을? 신어요, 우산을? 써요, 바지를? 입어요

동작 이어 말하기가 숙달이 되면 늘 과제를 수행하던 자리 이외에도 놀이영역이나 화장실 앞 등 다른 장소로 이동하여 과제를 하기도 합니다. 최대한 다양한 장소에서 과제를 연습하며 동작 이어 말하기의 행동을 일반화할 수 있도록 돕는 것이지요. 민우와 연습한 동작 말하기 목록은 부모님께도 전달되어 가정에서도 함께 연습해볼 수 있도록 합니다.

5. 사회성- (6)또래와 눈맞춤: 친구와 마주보고 앉아 컵쌓기

민우는 1월부터 친구들과 조기교실에 참여하며 그룹활동을 통해 자연스럽게 친구와 인사하거나 스킨십하기, 친구가 좋아하는 간식 나누어주기와 같은 경험을 하고 있어요. 민우는 초반에 자신이 가지고 노는 장난감에 친구가 관심을 보이거나 만지려고 하면, '혼자 할거야' , '같이 안해' 하고 말하거나 '(친구이름) 혼자해' 하며 자리를 떠나는 등 장난감 공유에 대해 거부를 보였어요. 그래서 어느 정도 조기 교실에서의 과제들에 익숙해지고 행동 유관이 형성된 4월부터 토리 LETS의 10번 영역인 사회성 과제를 조금씩 시도해보았습니다.

첫번째 사회성 영역의 장기목표는 '또래와 눈맞춤' 이었어요. 의도적으로 또래와 눈맞춤을 할 수 있도록 제시된 과제는 민우와 친구가 10분 동안 같은 책상에 앉아 컵쌓기 장난감을 번갈아가며 하나씩 쌓아야 하는 것이었어요. 컵을 친구에게 전달하고, 전달할 때에는 친구의 눈을 바라봐야 해요. 민우는 교사의 지시에 따라 친구를 보고 컵을 잘 전달할 수 있었어요.

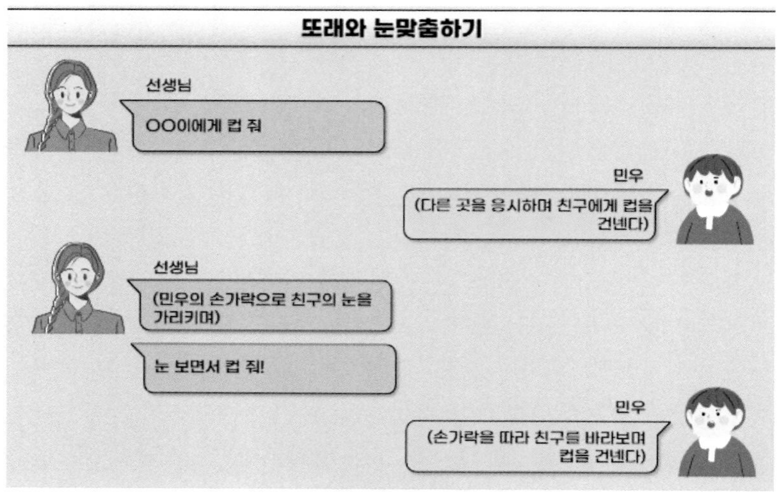

또래와 눈맞춤하기
선생님
OO이에게 컵 줘
민우
(다른 곳을 응시하며 친구에게 컵을 건넨다)
선생님
(민우의 손가락으로 친구의 눈을 가리키며)
눈 보면서 컵 줘!
민우
(손가락을 따라 친구를 바라보며 컵을 건넨다)

하지만 친구가 자기를 바라보는 것을 매우 불편해하는 모습이었어요. 친구가 자기를 쳐다보면 얼굴을 찡그리거나 눈동자를 옆으로 돌리며 그 시선을 피하는 모습을 보였습니다다. 그럴 때마다 교사는 촉구를 주며 친구를 바라볼 수 있도록 도왔고, 아주 잠시라도 친구를 쳐다보면 바로 칭찬을 듬~뿍 주거나 좋아하는 과자를 주어 친구를 바라보는 행동을 강화해주었어요. 친구 눈 바라보기는 지금도 계속 일관되게 중재가 진행 중에 있습니다.

촉진영역	택트, 지시따르기
활동명	**숨어있는 사물을 찾아라**
놀이할 때 필요해요	가족이 좋아하는 사물들 (간식, 화장품 등) , 카메라
왜 이 놀이를 하나요?	위치, 장소 전치사를 듣고 이해할 수 있어요. 사물의 위치를 말로 표현할 수 있어요. 지시를 듣고 숨겨진 사물을 찾아볼 수 있어요.

이렇게 놀이주세요	**• 숨겨볼 사물들을 하나씩 소개하고, 누구의 것인지 알아본다.** ☺ 사물의 이름을 하나씩 알려주고 따라 말해보아요. - 이건 누구 거지? - 내 꺼야! - 엄마 꺼야 - 아빠 꺼야 - **• 물건을 집안 곳곳에 숨기고 사진을 찍어두어요.** ☺ 아이가 물건을 잘 찾지 못하면 사진 힌트를 주세요. **• 숨긴 사물의 위치를 전치사를 포함한 문장으로 지시한다.** – 엄마: 내가 좋아하는 건 검정 의자 '아래'에 있어요. – 아빠: 내가 좋아하는 건 빨간 쿠션 '위'에 있어요. – 누나: 내가 좋아하는 건 TV '뒤'에 있어요. – 오빠: 내가 좋아하는 건 화분 '앞'에 있어요. – 동생: 내가 좋아하는 건 동그란 통 '안'에 있어요. **• 사물을 찾으면, 그 사물의 이름을 말하고 주인에게 건네준다.** **• 물건을 건네 받은 가족은 꼭 안아주며 칭찬해준다.**

2023년 5월

아이들도 같은 공간에서 계속 과제를 하다 보면 어느 순간 동기가 약해지고, 과제를 수행하는 것에 지루함을 느끼는 시기가 옵니다. 일종의 권태기 같은 건데요, 평소에 과제를 잘 수행하여 또래보다 런유닛(과제 수행 횟수)이 높았던 아이가 갑자기 런유닛이 확 떨어지는 경우가 생기기도 해요. 민우도 마찬가지로 조기교실을 시작한지 5개월차가 되자 초반에 비해 개별 수업을 진행하는 데 어려움이 생겼답니다. 이전에 좋아했던 강화물(마이쮸, 클레이, 퍼즐 등)을 대부분 '아니!' 하고 거부했고, 과제를 하려는 동기가 약해져 평소 잘 반응했던 것에 대해서도 오반응을 일으키는 경우가 늘어났기 때문이에요. 이럴 경우에는 무리하게 과제를 진행하려고 하기보다는 민우의 동기를 높이기 위한 방법을 찾는 것이 중요해요. 과제 수행을 조금 줄이더라도 민우와 함께 놀고, 좋아하는 게임을 찾아보면서 민우와의 관계 형성을 다시 해보는거지요. 이렇게 잘 쌓아진 관계는 앞으로의 중재 과정에 있어 매우 큰 도움이 됩니다. 무리하게 과제를 진행하여 기록된 데이터는 의미 없을 수 있고, 시간이 지날수록 선생님과의 관계가 깨져 추후에 중재 효과가 잘 나타나지 않을 수도 있거든요.

민우의 동기를 높이기 위해 토리교실 선생님들과 함께 회의를 진행하기도 했어요. 선생님들은 민우의 동기를 높일 수 있는 방법들을 많이 조언해주셨습니다. 그중에서 계획, 정해진 틀과 예측가능한 일정을 좋아하는 민우의 특성을 반영하여 개별 과제 시작 전 오늘의 과제 순서와 강화물을 민우가 스스로 정해보는 방법을 사용해보기로 했어요. 이를 위해 시간표 틀을 만들고, 오늘 계획되어 있는 과제와 강화물들을 사진으로 찍어 준비했답니다.

수업 시작 전 민우 스스로 과제 순서를 선택해 시간표에 붙이게 하고, 과제가 끝난 후 받게 될 강화물(장난감, 활동, 간식) 역시 스스로 선택해 과제 옆에 붙일 수 있게 했어요. 과제와 강화물의 종류와 사진은 매번 변경되었지요. 이와 같은 방법을 사용하니 민우는 본인이 자발적으로 결정한 시간표대로 진행하는 과제 수행 순서에 흥미를 갖고, 점차적으로 과제 동기 수준을 회복해 나가는 모습을 보였습니다.

<공부순서판과 수업사진 예시>

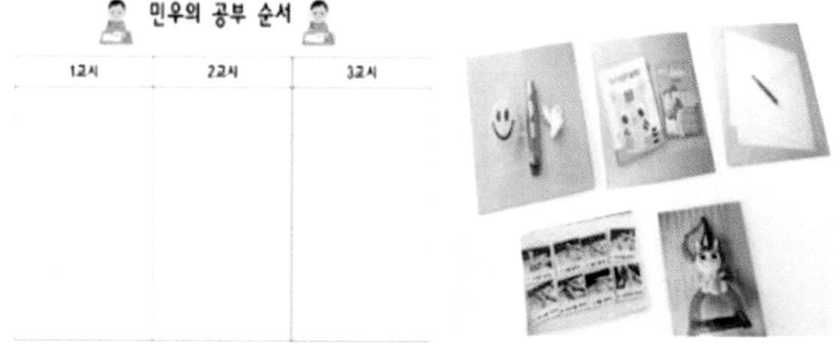

스스로 하고 싶은 공부를 선택해서 시간표를 만들어요

1.변별하기- (25)책에서 기능, 특징, 범주 중 2가지를 포함한 질문을 듣고 변별

조금씩 민우의 변별하기 과제가 복잡해지고 있어요. 변별하기 과제는 수용언어와와 연관이 있다고 앞서 설명드렸던 거 기억하시나요? 과제가 복잡해질수록 민우는 더욱 더 상대방의 이야기를 잘 듣고 기억해야 합니다. 그리고 들은 청각적인 자극들을 조합하여 알맞은 아이템을 변별해야 하지요. 이번 달에 민우가 수행해야 할 과제는 선생님이 묻는 기능, 특징, 범주 중 2가지를 포함한 질문에 알맞은 그림을 손가락으로 가리키는 것이에요.

<변별하기 책 페이지 예시>

[출처: 뽀로로 유아백과, 키즈아이콘]

위의 페이지를 보며 민우에게 실제로 제시된 질문 목록 입니다..

1) 빨간색이고 과일인 건 뭐야?
2) 초록색이고 길쭉한 건 뭐야?'
3) 파란색이고 발에 신는 건 뭐야?'
4) 노란색이고 짹짹 우는 건 뭐야?

선생님이 이야기한 2가지의 특징을 모두 기억해야 알맞은 그림을 찾아 변별해볼 수 있는 과제입니다. 민우는 초반에 선생님이 이야기하는 마지막 부분만을 기억하고 그림을 변별하는 모습을 보이기도 했지만, 2-3번 촉구를 주니 금방 과제를 이해하고 정확하게 2가지의 특징에 해당하는 그림을 변별하는 모습을 보였습니다.

2. 요구하기- (18) 타인에게 행동맨드 '빌려줘'

사전면담에서 공유되었던 민우의 문제행동 중의 하나는 또래가 가지고 노는 장난감을 그냥 툭 건드려 무너뜨리거나 가져가는 것이었지요. 어머님의 말씀대로 민우는 토리교실에서도 친구가 가지고 노는 장난감에 흥미가 생기면 그냥 손을 뻗어 가져가려는 모습이 여러 번 관찰되고 있습니다. 그럴 때마다 일관되게 선생님이 개입하여 장난감 가져가려는 것을 막고, 민우가 '빌려줘' 하고 요구할 수 있도록 중재하고 있어요. '빌려줘' 요구하기는 선생님이 의도적으로 연출한 상황을 통해서도 연습이 이루어지고 있는데요, 과제 수행에 필요한 물건(색연필이나 블록 등)을 친구에게 맡겨놓고 (미리 친구의 담당 선생님과 협의가 필요해요) 선생님과 함께 빌리러 가보는거지요. 친구에게 다가가 '000 빌려줘' 말할 수 있도록 촉구하고, 민우가 맨드해볼 수 있는 상황을 제공함으로써 원하는 물건이 있을 때 '빌려줘' 하고 말하는 행동에 대해 강화합니다.

요구하기 과제는 이처럼 미리 계획하여 의도적으로 연출하기도 하지만, 그때그때 아이가 원하는 것이 생기면 자발적으로 원하는 것을 요구해볼 수 있도록 즉석에서 과제를 추가하여 진행할 수 있어요.

3. 명명하기 - (21) 사물을 보며 색깔, 모양, 기능을 묻는 질문에 대답

명명하기 영역에서는 사물을 보고 선생님이 색깔, 모양, 기능에 관한 질문을 하면 이에 대해 대답하는 과제가 진행되었습니다. 과제를 위해 준비된 사물은 <스케치북, 공, 블록, 쿠키, 스마트폰>이에요. 사물은 아이가 평소에 익숙한 것들을 준비해주시면 됩니다. 준비된 사물에 대해 다음과 같은 질문을 할 수 있어요.

- 무슨 색깔이에요? (색깔)
- 무슨 모양이에요? (모양)
- 이걸로 뭐해요? (기능)

위와 같은 질문을 번갈아 가며 하면 민우는 질문을 잘 듣고 그것에 맞게 잘 대답할 수 있어야 합니다. 첫 시도에 민우는 3가지의 질문을 번갈아가며 하자 바뀌는 질문에 대한 전환이 잘 되지 않았어요.

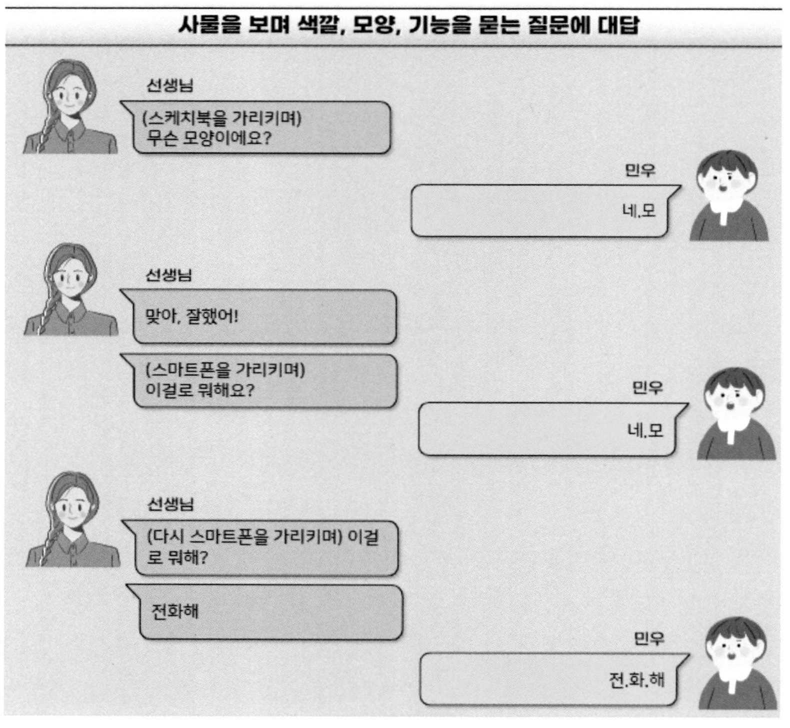

15시도씩 3회차(총 45시도) 동안 과제를 진행해보았지만 계속해서 바뀌는 질문에 대해 적절한 답하는 것을 민우가 계속 어려워하며 잘 수행하지 못하였어요. 따라서 이에 관해 슈퍼바이

저와 논의 후 과제를 중단하기로 결정했습니다. 그리고 질문과 사물의 사례를 줄여 다시 진행해보기로 했어요. 이와 같은 과제 변경의 데이터는 항상 기록되어집니다.

왜 변경되었는지, 변경을 해보니 어떻게 수행이 이루어졌는지 확인하여 알맞게 중재가 이루어지고 있는지 점검할 수 있어야 합니다. 이와 같이 ABA에서 아이가 어려워하는 과제는 더 작은 단위로 쪼개어 연습할 수 있도록 합니다.

사물에 대해 색깔, 모양, 기능을 묻는 질문에 대답하기 영역은 아래와 같은 순서로 진행되었어요.

①5개의 사물, 3가지 질문(색깔, 모양, 기능)

②3개의 사물, 2가지 질문(색깔, 기능)
5개의 사물, 2가지 질문(색깔, 기능)

③5개의 사물, 3가지 질문(색깔, 모양, 기능)

4. 인트라버벌- (9) 범주를 듣고 2가지 이상의 아이템 대답하기

5월에 진행된 인트라버벌 영역에서는 선생님이 말하는 '범주'를 듣고 범주에 해당하는 2가지 이상의 아이템을 대답해야 하는 과제가 진행되었어요. 여기에서 '범주'란 동물, 과일, 탈것, 옷, 장난감 등이 해당합니다. 범주에 대한 개념은 매칭 및 변별 과제를 통해 습득이 되어 있어야 인트라버벌 과제가 진행될 수 있습니다. 과제 수행 시 정반응률을 높이기 위한 방법으로는 범주판을 활용한 촉구가 있어요.

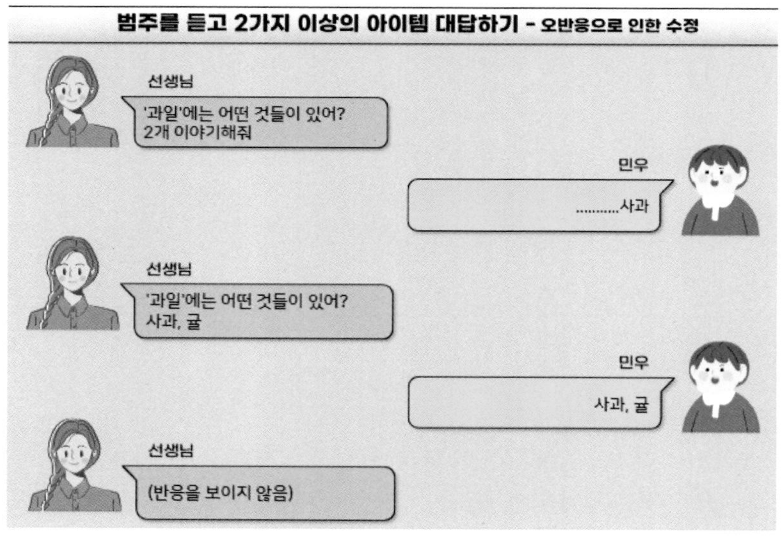

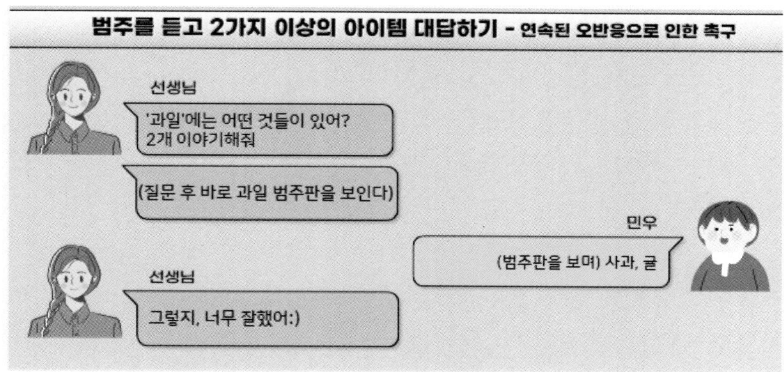
범주를 듣고 2가지 이상의 아이템 대답하기 - 연속된 오반응으로 인한 촉구
선생님
'과일'에는 어떤 것들이 있어?
2개 이야기해줘
(질문 후 바로 과일 범주판을 보인다)
민우
(범주판을 보며) 사과, 귤
선생님
그렇지, 너무 잘했어:)

<범주판 예시>

과일 범주판
탈것 범주판
옷 범주판
동물 범주판

민우가 대답하는 2가지의 아이템은 질문할 때마다 다르게 대답하는 것이 좋지만, 우선은 질문할 때마다 늘 같은 아이템들을 대답하더라도 정반응으로 기록합니다. 2개의 아이템을 대답하는 그 자체의 행동을 강화하는 것입니다.

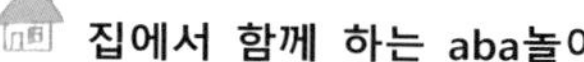

촉진영역	인트라버벌
활동명	**우리 엄마는요 (가족 특징 말하기)**
놀이할 때 필요해요	가족 구성원 사진, 스케치북, 색연필
왜 이 놀이를 하나요?	가족 구성원의 특징에 대해 생각해보고, 특징을 언어로 표현할 수 있어요.

이렇게 놀이 해주세요	**• 가족 구성원 사진을 안 보이게 뒤집어 놓고, 한 장만 뒤집는다.** **• 뒤집어서 나온 가족을 확인하고 누가 나왔는지 말해본다.** – 누군지 말해줘 – 엄마! (아빠, 누나, 오빠, 동생 등) **• 사진을 뒤집어 나온 가족 구성원에 대해 말한다.** ☺ 아이의 수준에 따라 말해야 할 특징의 개수를 정해주세요. ☺ 특징: 생김새(머리가 길다/뽀글뽀글하다, 수염이 있다, 안경을 썼다), 좋아하는 음식/색깔, 싫어하는 음식/색깔, 이름, 나이 등 - 엄마에 대해 3가지 말해줘 - 아빠에 대해 2가지 말해줘 **• 특징을 모두 말하는 데 성공하면, 아이가 좋아하는 간식을 준다.** **Tip.** 게임 시작 전, 아이가 먹을 간식을 정해보세요! **Tip.** 말하기를 어려워한다면, 스케치북에 특징을 적어 함께 말해볼 수 있어요. (이후에 다시 스스로 말할 수 있도록 기회를 주세요.)

2023년 6월

민우는 이전에 비해 함께 조기교실에서 공부하는 친구들에게 관심을 보이기 시작했어요. 먼저 친구의 이름을 말하기도 하고, 친구가 입고 온 옷을 가리키며 옷 색깔을 말하는 모습을 보이기도 했어요. 친구가 간식을 주며 '이거 먹어' 하고 말하면, 민우는 촉구를 받아 '고마워' 하고 말할 수 있습니다. 또한 초반에 민우는 친구와 같은 종류의 장난감을 가지고 노는 것에 강한 거부감을 보였어요. 민우가 가지고 놀던 장난감을 친구가 만지면 '민우 안해, 00(친구이름) 혼자해' 하고 말하며 자리에서 떠나거나, 눈물을 보이며 속상해하기도 했지요. 그럴때마다 선생님은 민우가 친구에게 '내가 하고 있었어', '같이 하기싫어' 하고 말할 수 있도록 도왔고, 민우가 의식하지 못한 상태에서 친구와 거리가 조금만 가깝게 놀이를 해도 아낌없이 격려와 칭찬을 하며 강화해주었어요.

조기교실에서 함께한지 6개월이 되자 이제 민우는 친구과 같은 장난감을 가지고 놀이하는 것에 큰 거부감을 표현하지는 않는 모습입니다. 아직 장난감을 가지고 함께 놀거나 놀이 내용을 공유하지는 않지만, 가까운 공간에 앉아 같은 장난감을 가지고 각자 노는 것만으로도 매우 큰 변화라고 평가할 수 있습니다.

1.변별하기 (26)4쌍의 형용사를 변별

6월 변별하기 영역에서는 선생님이 말하는 4쌍의 형용사를 듣고 앞에 놓인 한 쌍의 그림카드 중 하나를 변별하는 과제가 진행되었어요. 4쌍의 형용사는 1) 크다-작다 2) 많다-적다 3) 깨끗하다-더럽다 4) 길다-짧다 입니다.

이 과제에 사용된 그림카드 예시를 살펴볼까요?

<형용사 변별 사진 예시>

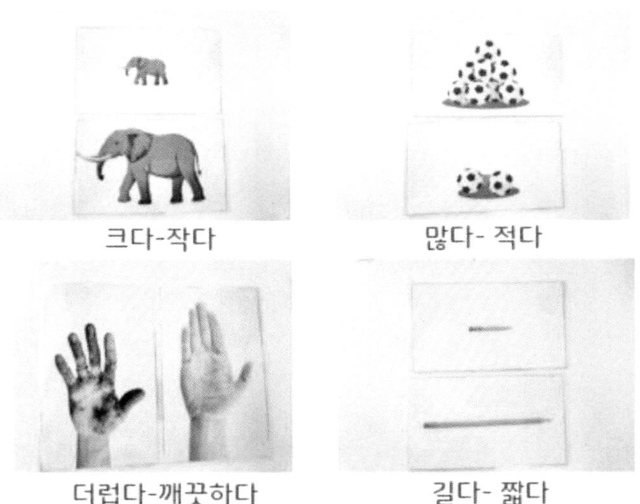

선생님이 1번 세트(크다-작다)의 카드 2장을 민우 앞에 나란히 놓고 ‘크다’ 하고 말하면, 민우는 잘 듣고 큰 코끼리의 그림을 잡아 선생님에게 건네주어야 해요. 알맞게 카드를 잘 변별했다면 민우는 ‘크다’의 말소리가 의미하는 바를 잘 알고 있다고 해석할 수 있습니다. 다른 형용사들도 같은 방법으로 과제가 진행되지요.

첫 번째 시도에서는 4쌍의 형용사의 변별을 단기목표로 두고 과제를 제시했어요. 민우는 형용사 변별을 헷갈려하는 모습을 보이며 15시도씩 2회차 동안의 정반응률이 60% 미만으로 기록되었습니다. 그래서 단기목표를 2쌍씩 나누어 제시해보기로 했어요. 2쌍(크다-작다/많다-적다)먼저 변별 과제로 제시해보았지만 민우는 4회차의 시도 동안 반응률은 평균 50%으로 과제 수행에 어려움을 보였습니다. 따라서, 선생님은 해당 과제를 중지하고 슈퍼바이저와 함께 민우에게 형용사를 가르칠 수 있는 방법에 대해 논의하였습니다. 그 결과, 형용사를 1쌍씩 나누어 가르치기로 하였고, 변별이 더욱 쉽도록 2d 그림카드가 아닌 3d 모형을 활용하기로 하였어요.

<3d 사물의 예시>

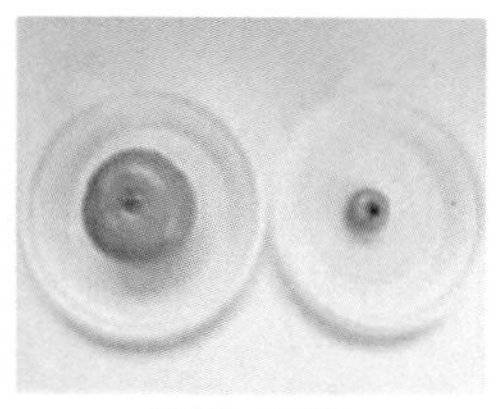

크다-작다

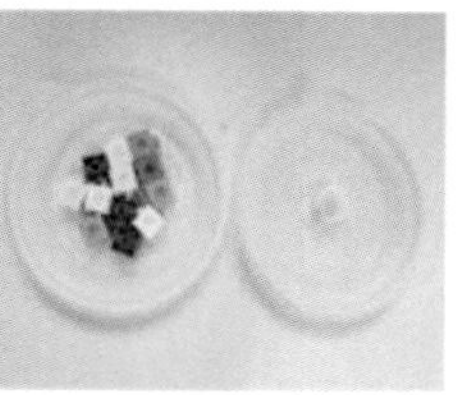

많다- 적다

3d 모형을 통해 형용사를 한 쌍씩 나누어 과제를 제시하였더니 민우는 크다-작다, 더럽다-깨끗하다, 길다-짧다는 1회차 만에 과제를 완료(정반응률 90%) 하였고, 많다-적다는 조금 헷갈려 3회차 만에 과제를 완료할 수 있었습니다. 추후에 다시 2d 그림카드를 통해 민우가 형용사의 개념을 습득하였는지 확인해볼 수 있어요.

다음은 민우가 4쌍의 형용사를 습득하기 위해 제시된 과제의 순서입니다.

① 2D 4쌍의 형용사 (크다-작다, 많다-적다, 깨끗하다-더럽다, 길다-짧다)

② 2D 2쌍의 형용사 (크다-작다, 많다-적다)

③ 3D 1쌍의 형용사 (크다-작다 → 많다-적다 → 길다-짧다 → 더럽다-개끗하다)

(+추가) 2D 2쌍의 형용사/ 4쌍의 형용사

이처럼 ABA에서는 모든 영역에서 아동의 수준에 따라 아동이 쉽게 배울 수 있는 작은 단위로 쪼개어 가르치는 것을 다시 한 번 확인하실 수 있습니다.

2.지시따르기 (24)위치가 포함된 지시를 따름

6월의 지시따르기에는 '위치'가 포함됩니다. 위치를 나타내는 표현에는 위/아래, 안/밖, 앞/뒤 등이 있지요. 과제를 진행하기 전, 민우가 위치 전치사를 잘 이해하고 있는지 확인 차 변별 과제를 제시해보았더니 '위'와 '아래'의 변별을 헷갈려 하는 모습을 보였어요. 따라서 지시따르기 과제를 시작하기 전에 사진 [블록이 의자 위/아래, 숟가락이 책상 위/아래, 가위가 트램펄린 위/아래] 을 통해 위/아래 변별하기 과제를 먼저 진행하였습니다. 이를 통해 민우가 헷갈리던 '위치' 표현을 청각적으로 변별할 수 있도록 도왔어요. 변별과제를 완료한 후, 위치를 포함한 지시따르기 과제를 시작했습니다.

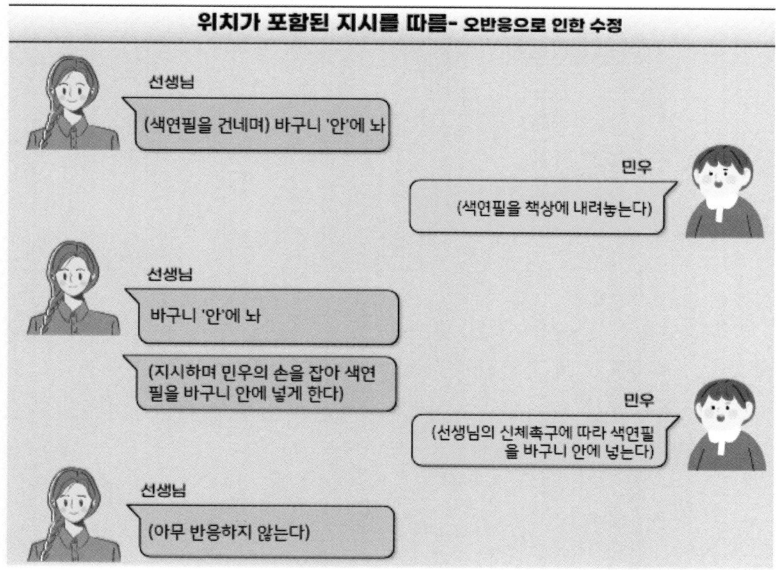

위치가 포함된 지시를 따름- 오반응으로 인한 수정
선생님
(색연필을 건네며) 바구니 '안'에 놔
민우
(색연필을 책상에 내려놓는다)
선생님
바구니 '안'에 놔
(지시하며 민우의 손을 잡아 색연필을 바구니 안에 넣게 한다)
민우
(선생님의 신체촉구에 따라 색연필을 바구니 안에 넣는다)
선생님
(아무 반응하지 않는다)

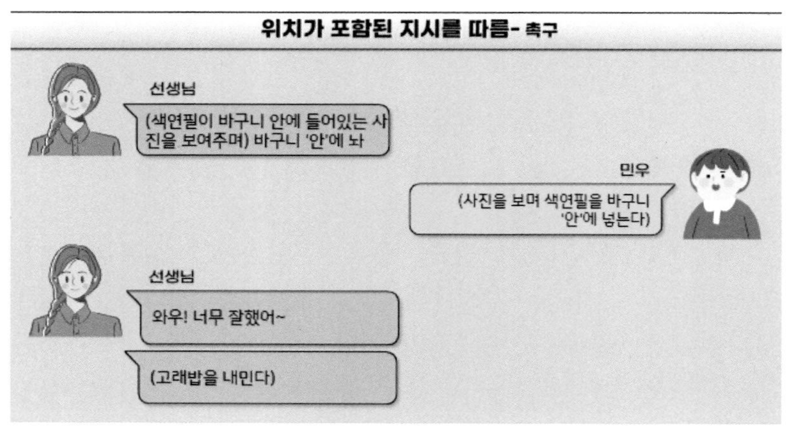

여러 번의 수정과 촉구를 통해 과제를 1회차(15시도) 진행하니 민우는 이 과제에서 어떻게 반응 해야 하는지 잘 이해하는 모습을 보였어요. 2회차에는 민우 자발적으로 위치가 포함된 지시에 대해 정반응을 보이며 과제를 성공적으로 완료할 수 있었답니다.

3.요구하기 (13)타인에게 행동맨드 '보여줘'

6월에는 민우가 그림책을 원할 때 일부러 책을 가리며 선생님만 보는 상황을 연출하여 민우가 '보여줘' 하고 요구할 수 있도록 하였습니다. 이처럼 다양한 상황을 의도적으로 연출하거나 그때그때 민우가 원하는 것이 있으면 즉석에서 맨드의 목표를 추가하여 다양한 요구하기 표현을 연습할 수 있도록 도울 수 있습니다.

4.인트라버벌 (10) 무엇이 포함된 질문에 대답

인트라버벌 영역의 10번 장기목표는 '무엇'이 포함된 25가지의 질문에 알맞은 대답을 하는 것입니다. '무엇'이 포함된 질문이란, 00으로 '뭐'해? 또는 00하는 건 '뭐'야? 와 같은 질문이 예가 될 수 있어요. 25가지 질문은 아동의 수행수준에 따라 작은 단위의 단기목표로 제시됩니다. 민우는 하나의 단기목표로 5가지의 질문을 연습하였어요. 즉 민우는 5개씩 5개의 단기목표를 완료해야 인트라버벌 영역의 장기목표 10번을 최종적으로 완료할 수 있는 것이지요. 5개씩 연습해보다가 대답을 잘 하면, 10개 또는 15개로 늘려 제시할 수도 있습니다. 인트라버벌 영역의 10번은 변별 영역의 12번 장기목표인 '사물 기능 이어서 변별하기' 과제와 연결되어요. 즉, 변별 12번을 완료하여야 인트라버벌 영역의 10번 과제를 수행할 수 있게 됩니다.

 # 무엇이 포함된 질문과 대답 예시

1) A: 자르는 건 뭐야? B: 가위

2) A: 던지는 건 뭐야? B: 공

3) A: 가위로 뭐해? B: 잘라

4) A: 공으로 뭐해? B: 던져

5) A: 물 마시는 건 뭐야? B: 컵

6) A: 컵으로 뭐해? B: 물마셔

7) A: 밥 먹는 건 뭐야? B: 숟가락

8) A: 숟가락으로 뭐해? B: 밥먹어

이 외에도 신발, 옷, 칫솔, 침대, 비누, 블록, 자동차, 우산, 풍선, 빗, 전화기에 해당하는 질문들이 제시되었어요. 민우는 1개의 단기목표(5개의 질문)를 평균 3회차 만에 준거도달하는 모습을 보였습니다. 그동안 25개의 질문에 대한 대답을 모두 민우의 자리에 앉아 수행하였다면, 놀이영역 및 화장실에서 수시로 질문해볼 수도 있어요. 최대한 민우가 다양한 상황에서 질문에 대답해볼 수 있는 기회를 제공하는 것이지요.

<장소: 화장실 앞>

민우: (의자에 앉아 손씻는 차례를 기다리고 있다)
선생님: (민우와 눈을 맞추며) 비누로 뭐해?
민우: ....
선생님: 비누로 뭐해? 손(:한글자 촉구)
민우: 손씻어
선생님: (머리를 쓰다듬으며) 맞아! 너무 잘했어~

<장소: 놀이영역>

민우: (매트 위에 앉아 블록을 가지고 놀고 있다)
선생님: (블록을 잠시 손으로 잡아 놀이를 멈추게 하고) 끼우는 거 뭐야?
민우: 블록
선생님: 우와~ 너무 잘 대답했어

촉진영역	매칭, 변별, 지시따르기
활동명	**같은 색깔 물건끼리 모으기**
놀이할 때 필요해요	색종이 또는 색깔 카드, 다양한 색깔의 물건들
왜 이 놀이를 하나요?	시각(색깔)자극의 동일성을 인식하고, 같은 색깔을 가진 다양한 모양의 물건을 찾아볼 수 있어요.

이렇게 놀이 해주세요	• **색종이(색깔카드)를 보며 색깔 이름에 대해 이야기한다.** - 이건 무슨 색깔이지? - 맞았어, 빨간색이야! - 이건? 초록색! • **색종이와 같은 색깔의 물건들을 주변에서 함께 찾아본다.** - 이건 노란색이야! - 우리 집에 또 노란색이 뭐가 있을까? 찾아보자. - (손가락으로 가리키며) 저기 공! 찾았다! - (직접 가서 물건을 집으며) 인형! 찾았다! • **다른 색깔의 색종이를 제시하며 색깔의 물건을 찾아본다.** ☺ 아이의 수준에 따라 찾아올 물건의 개수를 정해보아요! - 이번에는 '파란색' 물건 찾아보는 거야! - 파란색 물건이 어디에 있을까~ • **각자 찾아온 물건의 색깔을 살펴본다.** • **색종이 색과 같은 물건을 찾아오면 칭찬한다.**

6개월간의 기록을 마무리하며

지금까지 2023년 1월부터 6월까지 민우가 조기교실에서 적응하고 함께 공부했던 과정을 토리 LETS 과제 중심으로 간략하게 정리해보았습니다. 사실 민우는 다른 친구들에 비해 6개월 동안 제법 빠른 속도로 다양한 과제들을 수행해 온 편이에요. 모든 아이가 민우와 같이 새로운 과제를 빠르게 습득하면 좋겠지만, 모든 아이들이 같은 과정으로 프로그램을 진행하더라도 같은 치료결과를 얻지는 못합니다. 어떤 아이는 조기교실 일과에 적응하고, 자기 자리에 착석을 하는 데에만 한 달 이상이 걸리기도 해요. 그룹시간에 또래 옆에 앉아 같은 활동에 참여하기까지 6개월 이상이 걸리는 친구도 있습니다.

민우는 초반 6개월 동안은 조기교실 같은 반 친구들 비해 빠른 속도로 중재 목표를 하나씩 완료했어요. 하지만 초반의 과제들은 비교적 간단하고 쉬운 개념들이었고, 과제들은 점차 더 복잡해지고 어려워집니다. 이에 따라 목표를 달성하는 데 더 많은 시간이 소요되지요. 이제는 하나의 장기목표를 한 달 이상 진행하는 경우도 생깁니다. 하지만 과제를 완수하는 데 걸리는 시간은 그리 중요하지 않습니다. 그 과정에서 민우가 새로운 개념을 계속해서 배워가고 있으니까요.

그렇다면, 처음 민우가 조기교실을 시작할 때 세웠던 중재 계획을 다시 한번 살펴보며 실제로 민우가 6개월 동안 얼마나 성장했는지 확인해보겠습니다.

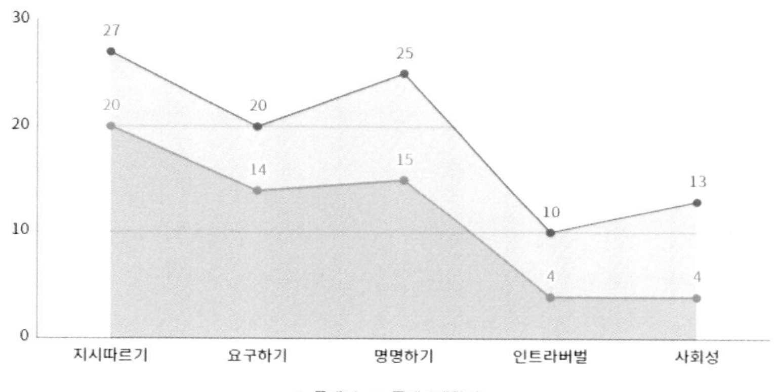

* 장기목표의 세부 목록은 별도로 첨부된 토리 LETS 목록을 통해 확인하실 수 있습니다.

지난 1월, 각 영역에서 5개의 장기목표를 달성하는 것을 목표로 중재를 시작했었는데요, 위의 표를 통해 민우는 계획했던 목표를 모두 달성하였음을 확인할 수 있습니다. 특히 명명하기 영역과 사회성 영역에서는 목표보다 훨씬 많은 장기목표를 완료하였네요. 6개월간 달성된 목표들을 확인하고 분기 보고서를 통해 공유하는 것은 선생님도 민우의 부모님도 모두 뿌듯한 순간입니다.

2024년 현재, 민우의 수업은 계속 진행되고 있습니다. 여전히 타인과 자연스럽게 핑퐁대화를 하는 것은 어렵지만, 함께 연습해 온 범위 안에서 질문을 하면 대답을 할 수 있습니다. 이제는 선생님의 촉구를 받아 친구에게 “oo아, 고래밥줘!‘ 하고 요구할 수 있고, 친구가 고래밥을 건네면 '고마워’ 라고 말할 수 있어요. 민우가 더 다양한 상황에서 질문에 대답하고, 필요한 것을 말로 요구하려면 앞으로도 많은 연습이 필요합니다.

이제 해가 바뀌어 민우는 7살이 되었고 내년이 되면 초등학교에 입학을 해요. 올해에는 학교생활에서 필요한 행동 기술들도 함께 중재목표에 추가하여 연습해 나갈 예정입니다. 민우가 토리 조기교실에서 나아가 앞으로 사회에 나가 일원으로서의 역할을 할 수 있도록 토리 선생님들은 오늘도 민우의 데이터를 살펴보며 함께 공부할 프로그램을 계획합니다. 민우의 수업 일지를 작성하다 보니 오늘 오후에 있는 민우의 수업이 너무 기대되네요. 기회가 된다면 6개월 이후 민우의 수업 이야기도 소개해드릴 수 있도록 하겠습니다.

마무리하며

발달이 느린 아이들을 중재하고 상담할 때 가장 많이 다루는 영역이 언어와 사회성입니다. 아이들은 언어 발달 속도가 느리니 의사소통이 어려워지고 사회적인 어려움들을 경험하게 되지요. 그래서 저는 아이들의 입장에서 언어란 무엇일까, 사회성이란 무엇일까 곰곰이 생각해보았습니다.

제 책상 위에는 항상 노트북과 물 마시는 컵이 놓여있어요. 컵을 아무리 봐도 '컵'이라고 쓰여있지도 않고 '컵'이라는 소리가 나지도 않습니다. 근데 우리는 컵을 보고 '컵'이라고 부르기로 사회적으로 약속해 두었어요. 노트북을 아무리 봐도 '노트북'이라고 쓰여있지도 않습니다. 노트북 자체에서 '노트북'이라고 말해주지도 않아요. 우리끼리 '노트북'이라고 부르자고 약속하고 그걸 수십 년간 지키는 것이지요. 이렇게 언어는 우리가 하나하나 정한 단어들을 기억했다가 그 약속에 수십 년간 따르는 것입니다.

자 그럼, 아이들에게 이 사회적인 약속을 따르도록 하려면 어떻게 해야 할까요? 아주 쉬운 약속부터 정하고 그것을 따르는 연습을 아주 어릴 때부터 조금씩 해나가야 하지요. 파이팅을 함께 하는 것, 자기 가방은 자기가 드는 것, 칫솔은 항상 칫솔꽂이에 두는 것, 갈아입은 기저귀는 자기가 쓰레기통에 버리는 것 등 언어적인 약속만이 아니라 일상생활의 모든 행동에 대한 약속을 같이 만들어 나가고 서로 지키는 것입니다.

약속은 아이들만 일방적으로 지키는 것이 아니지요. 엄마도 아빠도 그 약속을 일관되게 지켜야 하고 그런 모습을 자주 보여주어야 합니다. 언어 발달, 사회성 발달을 더 큰 의미에서 보자면 우리의 약속을 같이 지키는 연습을 하는 것입니다. 그것이 언어로, 행동으로 표현되는 것이 결국 언어 발달이고 사회성 발달입니다.

오늘도 우리 아이와 작은 약속 하나 만들고 함께 그 약속을 지켜보는 건 어떠신가요?

<** 별첨 >

Ⅰ. 학습준비

1. 성인의 지시+제스처에 순응하기(앉아)
2. 성인의 지시+제스쳐에 순응하기(일어나)
3. 성인의 지시+제스쳐에 순응하기(저기로 가자)
4. 성인의 지시+제스쳐에 순응하기(이리와, 와서 앉아)
5. 착석 유지하기(10min)
6. 성인의 지시+제스쳐에 눈맞춤하기
7. 성인의 지시+제스쳐에 사물 쳐다보기
8. 성인이 손바닥을 내밀며 "이거 줘" 했을 때 앞에 있는 사물 건네주기
9. 성인이 바구니나 접시를 가리키며 "여기 놔"했을 때 앞에 있는 사물 올려놓기
10. 성인이 위치를 가리키며 "여기 놔"했을 때 지정하는 위치에 사물 놓기

Ⅱ. 매칭

1. 3초동안 움직이는 시각적 자극을 추적
2. 10초동안 장난감을 조작
3. 집게 손가락으로 작은 사물을 잡기
4. 30초동안 장난감을 조작하거나 책 보기
5. 상자에 사물 담기(3개 이상)
6. 나무 블록 쌓기(3개 이상)
7. 링 끼우기(3개 이상)
8. 꼭지퍼즐 맞추기(1개)

9. 종이퍼즐 맞추기(2조각 퍼즐 1쌍)
10. 똑같은 사물끼리 매칭(20/3array)
11. 똑같은 사물끼리 매칭(20/6array)
12. 똑같은 사진끼리 매칭(20/6array)
13. 똑같은 색깔의 사물끼리 매칭(5/5array)
14. 똑같은 모양의 사물끼리 매칭(5/5array)
15. 똑같은 사물끼리 매칭(20/8array)
16. 똑같은 사진끼리 매칭(20/8array)
17. 일반화된 사물끼리 매칭(20/10array)
18. 일반화된 사진끼리 매칭(20/10array)
19. 일반화된 사진과 사물끼리 매칭(20/10array)
20. 일반화된 색깔과 모양끼리 매칭(10/5array)
21. 블록 디자인을 보고 모방(imitation/4개)
22. 사물 10가지를 2가지 범주로 분류(블록, 색연필)
23. 블록 디자인을 사진을 보고 모방(emulation/6개)
24. 색깔을 보고 모방하여 색칠(1가지 색)
25. 첫 시도에 일반화된 사진끼리 매칭(90%/10array)
26. 블록 디자인을 사진을 보고 모방(emulation/8개)
27. 6조각 이상의 사람 피규어 퍼즐 맞추기
28. 아이템을 범주(과일, 동물, 탈것, 옷, 장난감)별로 분류(25/5array)
29. 2단계 패턴을 보고 순서대로 놓기(10)
30. 3단계 패턴을 보고 순서대로 놓기(20)

Ⅲ. 동작모방

1. 사물을 가지고 동작모방(10/1array)
2. 포인팅 하는 동작 모방
3. 손 무릎이나 예쁜손 동작 모방
4. 머리 움직임을 모방(2)
5. 사물을 가지고 동작 모방(5/3array)
6. 대근육 동작 모방(5)
7. 소근육 동작 모방(3)
8. 대근육 동작 모방(10)
9. 영상을 보고 동작 모방(5)
10. 대근육 동작 모방(20)
11. 10초동안 5가지의 동작 모방
12. 사물을 가지고 동작 모방(10/3array)
13. 얼굴 표정 모방(4)
14. 영상을 보고 동작 모방(10)
15. 소근육 동작 모방(20)
16. 사물을 가지고 2단계 동작 모방(10/1array)
17. 사물 없이 2단계 동작 모방(10)
18. 사물을 가지고 3단계 동작 모방(10/1array)
19. 사물 없이 3단계 동작 모방(10)
20. 연습하지 않은 새로운 동작 모방(10)

IV. 언어모방

1. 눈, 코, 입, 귀 포인팅 동작 모방
2. 볼, 코, 귀, 입술잡기 동작 모방
3. 윗입술, 아랫입술, 치아, 혀 포인팅 동작 모방
4. 양 볼 문지르기, 인디언 아 동작 모방
5. 턱 움직임 모방(이딱딱, 입 크게 아, 이)
6. 혀 움직임 모방(메롱, 혀 좌우로 움직이기, 혀 위아래로 움직이기)
7. 입술 움직임 모방(입술 안으로, 입술 내밀기, 입술 쩝쩝 소리내기, 입술 뽀뽀 소리내기)
8. 불기 동작 모방(나팔, 카쥬, 피리, 하모니카, 비누방울 불기)
9. 불기 동작 모방(색종이 조각, 반짝이 조각, 휴지 조각)
10. 불기 동작 모방(색종이 길게, 반짝이 수술)
11. 불기 동작 모방(초, 라이터, 케이크)
12. 불기 동작 모방(코끼리 나팔, 바람개비)
13. 불기 동작 모방(빨개, 투명 용기, 액체)
14. 음성 모방 1음절(아, 에, 이, 오, 우)
15. 친숙한 단어 음성 모방 2음절(엄마, 아빠, 까까, 물, 빠빠)
16. 친숙한 단어 음성 모방 3음절
17. 1단어 에코익
18. 2단어 에코익
19. 3단어 에코익

V. 변별

1. 말하는 사람과 눈맞춤
2. 가리키는 곳을 쳐다보며 포인팅
3. 가리키는 것을 건네줌
4. 자신 이름을 듣고 가리킴
5. 선생님을 듣고 가리킴
6. 아주 좋아하는 친밀한 것들에 대한 이름을 변별(4/3array)
7. 아이템 이름을 변별(6/3array)
8. 아이템 이름을 변별(8/3array)
9. 아이템 이름을 변별(10/3array)
10. 아이템 이름을 변별(20/4array)
11. 동물소리(5), 환경음(5), 변별(10/4array)
12. 사물 기능 이어서 변별(10/5array)
13. 기능(10), 특징(10), 범주(5) 이어서 변별(8array)
14. 책에서 이름을 변별하여 포인팅(5)
15. 있다, 없다 변별(2array)
16. 아이템 이름을 변별(50/8array)
17. 무슨, 어떤, 누구가 포함된 질문에 변별(25/10array)
18. 2가지를 듣고 변별(5set/8array)
19. 색깔+아이템, 모양+아이템을 변별(4/4array)
20. 자연스러운 환경에서 아이템 이름을 변별(250)
21. 색깔 변별(5/5array)
22. 모양 변별(5/5array)
23. 성별로 사람을 변별(여자/남자)
24. 같다, 다르다 변별
25. 책에서 기능, 특징, 범주 중 2가지를 포함한 질문을 듣고 변

별(25)

26. 4쌍의 형용사(크다-작다, 많다-적다, 깨끗하다-더럽다, 길다-짧다)를 변별(16)

27. 지역사회 직업 이름을 변별(6)

28. 소집단에서 또래의 특성으로 변별(5)

29. 부정의 표현이 포함된 질문을 듣고 아이템을 변별(예: "oo이 아닌 것은 뭐지?)(10)

30. 책이나 자연스러운 환경에서 한 가지 주제에 대해 기능, 특징, 범주 관련 질문 4가지를 번갈아가며 듣고 변별(25)

VI. 지시따르기

1. 소리가 나는 쪽으로 돌아봄
2. 적절한 맥락에서 안돼, 뜨거워, 잠깐과 같은 지시에 반응함
3. 호명에 눈맞춤함
4. 맥락이 있을 때 간단한 언어적 지식에 반응함(2) (앉아, 일어나, 인사해 등)
5. 신체 부위를 듣고 터치함(2)
6. 오라는 지시를 듣고 따름
7. 동작 이름을 듣고 지시를 따름(2)
8. 동작 이름을 듣고 지시를 따름(4)
9. 동작 이름을 듣고 지시를 따름(6)
10. 동작 이름을 듣고 지시를 따름(10)
11. 동작 이름을 듣고 지시를 따르거나 신체 부위를 터치함(20)

12. 놀이영역에서 변별하는 물건을 가져옴(10)
13. 놀이영역에서 동물소리, 환경음에 대해 듣고 물건을 가져옴 (10)
14. 놀이영역에서 기능, 특징, 범주에 대해 듣고 물건을 가져옴 (10)
15. 지시를 듣고 3명의 사람에게 감
16. 지시를 듣고 3군데 장소에 감
17. 놀이영역에서 '있다, 없다'를 듣고 가져옴
18. 2단어 지시를 따름(30)
19. 2단어 동작 지시를 따름(10)
20. 선생님의 신호에 반응함(종소리 등)
21. 사물을 제자리에 갖다 놓음(10)
22. 사물을 특정한 장소에 갖다 놓음(5가지 장소)
23. 다른 장소에 가서 특정한 아이템을 가져옴(5가지 장소)
24. 위치가 포함된 지시를 따름(6)
25. 감정을 듣고 표정을 보여줌(4)
26. 4쌍의 부사(빨리-천천히, 높게-낮게, 크게-작게, 멀리-가까이)를 포함하여 지시를 따름(8)
27. "어떻게"질문을 듣고 하는 방법에 대해 순서대로 맞춤(10)
28. 5가지 사물 중에서 3가지 사물을 듣고 건네줌
29. 교실에서 3가지 사물을 듣고 가져옴
30. 익숙한 3단계 동작 지시를 따름(10)

Ⅶ. 요구하기

1. 강화제에 손을 뻗음
2. 눈맞춤으로 요구
3. 성인을 잡아당김
4. 포인팅이나 주세요 손을 함
5. 어떤 음성이든 음성으로 맨드
6. 자발적인 음성 맨드(4)
7. 자발적인 음성 맨드(6)
8. 자발적인 음성 맨드(5번 이상/60분)
9. 자연스러운 상황에서 음식이나 사물에 대한 맨드가 관찰됨
10. 자발적인 음성 맨드(10)
11. 자연스러운 상황에서 활동에 대한 맨드가 관찰됨
12. 자발적인 음성 맨드(20)
13. 타인에게 행동 맨드(5)
14. 자연스러운 상황에서 도움과 거절의 맨드가 관찰됨
15. 무엇이 포함된 질문 맨드(2)
16. 2단어 이상으로 맨드(10번이상/60분)
17. 네/아니 맨드
18. 자발적 맨드(30번 이상/60분)
19. 어디가 포함된 질문 맨드(3)
20. 누구가 포함된 질문 맨드(3)
21. 훈련하지 않은 새로운 맨드(10)
22. 의문사 질문으로 자발적인 맨드(5번이상/60분)
23. 언제가 포함된 질문 맨드(3)
24. 정중한 거절과 중단 맨드
25. 사회적 상호작용의 맨드가 관찰됨

26. 형용사, 전치사, 부사를 포함하는 맨드(10)
27. 어떻게 맨드
28. 어떻게가 포함된 질문에 대해 방법에 대한 지시나 교수(5)
29. 자연스러운 상황에서 차례나 기회에 대한 맨드가 관찰됨
30. 타인에게 대화 참여, 주의끌기 맨드(5)

Ⅷ. 명명하기

1. 타인의 관심을 얻기 위해 제스쳐를 붙여줌(포인팅, 손뻗기 등)
2. 타인의 관심을 얻기 위해 제스쳐와 음성을 동시에 사용함
3. 친숙한 단어를 모방함(3)
4. 기능은 없지만 단어모방이 나타남
5. 친숙한 사물 택트(2)
6. 친숙한 사물 택트(4)
7. 자연스러운 상황에서 습득한 택트에 대해 '이거 뭐야?'에 대답함
8. 자발적 택트(6)
9. 자발적 택트(8)
10. 자발적 택트(10)
11. 자발적 택트(20)
12. 자발적 택트(30)
13. 자발적 택트(40)
14. 자발적 택트(50)
15. 동작 택트(10)

16. 동작 택트(20)
17. 자발적 택트(100)
18. 2단어 택트(30)
19. 소유에 대해 말함(이건 내거야, 이건 선생님거야)
20. 자발적 택트(200)
21. 사물을 보며 색깔, 모양, 기능을 묻는 질문에 대답함(5가지 사물)
22. 같다 다르다 택트
23. 표정 보고 감정 택트(4)
24. 전치사 택트(4)
25. 촉감 택트(2)
26. 형용사(4쌍)와 부사(4쌍) 택트(16)
27. 신체 부위의 기능 택트(6)
28. 4단어 이상 문장으로 택트(20)
29. 날씨 사진이나 영상으로 택트(4)
30. 택트(1000)

IX. 인트라버벌

1. 동물소리, 환경음, 이어말하기 인트라버벌(10) (예: 강아지는? 멍멍)
2. 동물소리, 환경음을 듣고 무엇인지 대답(10) (예: 멍멍 우는건? 강아지)
3. 활동 중 이어말하기(2) (예: 준비? 시작, 하나,둘? 셋)

4. 맥락이 있는 상황에서 동작 이어 말하기(5)
5. 맥락 없이 동작 이어 말하기 인트라버벌(5)
6. 이름을 묻는 질문에 대답
7. 2단어 이상으로 노래이어부르기(5)
8. 동작 이어말하기 인트라버벌(25)
9. 범주를 듣고 2가지 이상의 아이템 대답하기(5)
10. 무엇이 포함된 질문에 대답(예:00으로 뭐해?, 00하는건 뭐야?)(25)
11. 누구, 어디가 포함된 질문에 대답(10)
12. 누구, 어디가 포함된 질문데 대답(25)
13. 00으로 뭐해?에 대답하기(25)
14. 00하는건 뭐야?에 대답(25)
15. 2가지 예시 중 선택하여 대답(25)
16. 인트라버벌 코멘트(20)
17. 질문에 3단어 이상으로 대답(25)
18. 이름을 듣고 2가지 특징 말하기(10)
19. 네, 아니오로 질문에 대답(25)
20. 책에서 짧은 이야기(15단어 이상)를 듣고 2가지 질문에 대답(25)
21. 범주나 장소를 듣고 3가지 이상의 아이템 대답(10)
22. 한 가지 사물에 대해 3가지 특징 말하기(25)
23. 개인적인 정보에 대해 대답(3)
24. 연속된 순서에 대한 질문에 대답(25)
25. 언제가 포함된 질문에 대답(10)
26. 사건, 영상, 이야기에 대해 8단어 이상으로 설명하기(25)

27. 직업에 대한 질문에 대답
28. 왜에 대한 질문에 대답(10)
29. 과거나 미래의 사건에 대해 설명하기(10)
30. 한 가지 주제에 대해 질문 4가지를 번갈아가며 했을 때 대답(10)

X. 사회성

1. 익숙한 사람과 눈맞춤(3번/60분)
2. 맨드로 눈맞춤(5번/30분)
3. 소리내기나 손짓을 사용하여 보호자의 관심 끌기(3번/60분)
4. 성인에게 신체적 상호작용을 먼저 시도(2번/60분)
5. 다른 사람에게 눈맞춤하며 인사함
6. 또래와 눈맞춤(5번/30분)
7. 그룹활동 시간에 촉구를 받아 또래 주변에 앉기
8. 또래와 2분동안 평행놀이(30분)
9. 또래의 동작을 모방(2번/60분)
10. 또래를 따라다니거나 동작 모방(2번/30분)
11. 촉구를 받아 또래와의 신체활동 놀이에 참여(2번/30분)
12. 또래에게 신체적 상호작용을 먼저 시도(2번/30분)
13. 또래에게 선호물을 제공함
14. 또래에게 맨드(5번/60분)
15. 또래의 맨드에 촉구를 받아 언어적 반응(2번/30분)
16. 3분동안 또래와 함께하는 사회적 놀이에 참여(30분)

17. 또래에게 택트(2번/60분)
18. 또래의 맨드에 반응(5번/60분)
19. 또래에게 지시로 맨드(2번/60분)
20. 또래에게 놀이에 참여하도록 맨드(2번/60분)
21. 또래에게 중단이나 거절 맨드(2번/60분)
22. 또래와 자발적으로 협력(5번/60분)
23. 사회적 가상놀이에서 또래의 행동 모방
24. 또래에게 누구, 어디, 무엇을 포함하는 질문 맨드(5번/60분)
25. 또래에게 '줘', '고마워'를 표현
26. 또래의 질문이나 지시에 인트라버벌로 반응(5번/60분)
27. 순서가 있는 강화제나 강화제 활동을 공유함(2번/60분)
28. 5분동안 사회적 가상놀이에 참여
29. 또래와 3차례 주고 받는 인트라버벌에 참여
30. 또래와 5가지 주제에 관해 4차례 주고 받는 인트라버벌에 참여

핑퐁대화가 어려운 아이

발 행 | 2024년 5월 8일
저 자 | 전은지, 이지혜
펴낸이 | 한건희
펴낸곳 | 주식회사 부크크
출판사등록 | 2014.07.15(제2014-16호)
주 소 | 서울시 금천구 가산디지털1로 119, SK트윈타워 A동 305호
전 화 | 1670 - 8316
이메일 | info@bookk.co.kr

ISBN | 979-11-410-8434-9

www.bookk.co.kr